성경대탐험

구약 ❻권

사무엘상·사무엘하

성경이 이끌어 가는 목회지침서

성경 대탐험

구약 ⑥권

사무엘상·사무엘하

배국순 목사 지음

The Old Testament 1 Samuel·2 Samuel

요단
JORDAN PRESS

성경대탐험에 초대합니다!

우리는 성경이 살아계신 창조주 하나님의 감동으로 기록된 하나님 말씀임을 믿습니다. 그리고 이 말씀이 우리 삶을 교훈과 책망과 바르게 함과 의로 교육하여 구원과 영원한 생명으로 인도하심을 믿습니다.

성경대탐험은, 초등학생부터 장년에 이르기까지 모든 성도가 매일 성경을 한 장씩 읽고 문제를 풀고, 말씀을 묵상 적용하는 시간으로 성경 66권 전체를 배우는 과정입니다.

① 한 주간의 분량(다섯 장) 중 1장을 주일 오전 설교를 통해 강해합니다.
② 주일 저녁 또는 오후예배 시간에 남은 네 장을 강해합니다. 그동안 성경을 읽으며 궁금하던 주제들이 하나님 말씀을 통해 이해되고 하나님의 뜻을 발견하게 됩니다.
③ 새벽기도를 통해 하루 한 장씩, 좀 더 깊게 본문을 이해하게 됩니다.
④ 가정예배 또는 개인 QT 교재로 사용하여 문제를 풀고 묵상과 적용과 기도의 시간을 갖도록 합니다.
⑤ 위의 자료를 영상(홈페이지 또는 유튜브)으로 준비 제공하여 모든 성도가 훈련을 공유하고 공동체가 함께 성장하도록 돕습니다.

성경대탐험을 통해 개인의 삶과 가정과 교회 공동체에 말씀이 흥왕하게 되면, 하나님만이 하실 수 있는 크고 놀라운 일들이 부흥이라는 이름으로 분명히 나타날 것입니다(사도행전 6:7).

에스라가 여호와의 말씀을 공부하고 지키며 온 이스라엘에 가르치기로 결심하고(에스라 7:10) 전하자 온 이스라엘이 그 가르침을 준행하기로 맹세하여 새 역사를 맛보았던 것처럼(에스라 10:5), 매일 하나님의 말씀을 한 장씩 읽고 공부하고 실천하면서 가르치기를 결심하는 우리에게도 같은 회복과 축복과 능력이 임할 것입니다.

성경대탐험을 통해 살아계신 하나님을 만나고, 하나님께서 나를 위해 준비하신 보물창고에서 값진 생명의 보화들을 꺼내어 맘껏 누리는 축복을 기대합니다.

배 국 순 목사

• 배국순 성경대탐험 바이블 목회연구원
• 송탄중앙침례교회 원로목사

훈련참여안내

주제성구 • 에스라 7:10

"에스라가 여호와의 율법을 연구하여 준행하며 율례와 규례를 이스라엘에게 가르치기로 결심하였더라."

- ▶ 에스라는 여호와의 율법을 연구(공부)하기로 결심했습니다.
- ▶ 에스라는 여호와의 율법을 준행하기로 결심했습니다.
- ▶ 에스라는 그 율례와 규례를 이스라엘에게 가르치기로 결심했습니다.
- ▶ 온 이스라엘이 가르침을 준행하기로 맹세했습니다(에스라 10:5).

- ▶ 성경대탐험을 시작하는 성도에게 성령님의 가르치심이 있을 것입니다.
- ▶ 성령님을 의지하고 끝까지 포기하지 말고 공부하십시오.
- ▶ 가정예배 또는 개인 QT 교재로 사용하면 더욱 좋을 것입니다.
- ▶ 말씀이 흥왕하여 능력이 더하는 가정과 교회로 주님이 세워 가실 것입니다.

훈련 참여 방법

- ▶ 주일 오전과 저녁(오후) 예배를 통해 한 주간 분량의 말씀을 듣습니다.
- ▶ 새벽기도 참석 또는 영상과 음성으로(PC, 모바일) 다시 말씀을 공부합니다.
- ▶ 한 주간(월~금) 매일 1장씩 다시 성경을 읽고 문제를 풀어보고 적용하고 기도합니다.

*혼자 성경을 공부하기 힘든 분들은 교회 도움을 받을 수 있습니다.

훈련에 임하는 약속

"모든 성경은 하나님의 감동으로 된 것으로 교훈과 책망과 바르게 함과 의로 교육하기에 유익하니 이는 하나님의 사람으로 온전하게 하며 모든 선한 일을 행할 능력을 갖추게 하려 함이라."

· 디모데후서 3:16-17 ·

나는 성경이 하나님 말씀임을 믿으며 나 자신을 말씀으로 훈련하겠습니다.

- 하나. 나는 매일 성경을 한 장씩 읽겠습니다.
- 하나. 성경을 읽고 문제를 풀고 적용하고 기도 하겠습니다.

주후 20 년 월 일

약속자: ______________ (서명)

Contents

사무엘상

1 Samuel

사무엘상 소개

사무엘서는 이스라엘 통치 시스템이 사사 시대에서 왕정 시대, 하나님 통치에서 인간 왕 통치 시대로 전환되는 과도기 역사를 다루고 있습니다. 이스라엘 마지막 사사이며 선지자인 사무엘 이야기로 시작하여, 초대 임금 사울과 하나님 마음에 합한 사람으로 평가된 다윗 왕의 이야기가 전개됩니다.

하나님은 사무엘, 사울, 다윗을 통해 거의 무너졌던 이스라엘 공동체를 다시 회복하셨습니다. 사사들의 지방 집권 체제에서 왕을 중심으로 한 강력한 중앙집권 국가로 세워졌습니다.

아브라함에게 약속되었고 모세와 여호수아를 통해 성취되었던 하나님의 언약이 다윗 시대에서 완성되었습니다. 사사기 방황의 시대에도 하나님의 언약은 계속 진행되고 있었습니다.

아브라함을 통해 주신 하나님의 언약이 다윗을 통해 실현되었습니다. 다윗 시대에 이스라엘은 국제적으로 강한 국가로 세워졌습니다. 다윗은 메시아 왕권을 보여주는 상징이었습니다.

1. 엘리 제사장과 사무엘(1:1-7:17)
2. 이스라엘 첫 번째 왕, 사울(8:1-15:35)
3. 사울과 다윗(16:1-31:13)

엘리 제사장과 사무엘, 사울 왕과 다윗이 대조되면서 사무엘상 역사가 진행됩니다.

사·무·엘·상

1장

본문 소개

사사 삼손 이후 레위인 타락의 역사로 사사기가 끝났습니다. 타락한 레위인의 이야기는 '엘리'와 두 아들로 이어져 하나님의 성전과 제사가 더럽혀졌고 실로 성전이 불타버렸습니다.

하나님께서는 새로운 시대를 여시기 위해 새로운 사람을 찾으셨습니다. 사무엘서는 아이를 낳지 못하는 '한나'의 기도와 서원으로 시작합니다. 한나를 통해 나실인 사무엘을 태어나게 하셔서 무너진 성전을 회복하고 이스라엘을 회복하셨습니다.

1. 한나의 슬픔(1:1-8)

나실인 삼손도 아이를 낳지 못하는 어머니를 통해 태어났습니다. 마지막 사사 나실인 사무엘도 아이를 낳지 못하는 어머니 한나를 통해 태어납니다.

'엘가나'는 두 아내를 거느렸으며, 매년 가족과 함께 실로에 올라가 하나님을 예배하는 신실한 가장이었습니다(3절). 엘가나는 두 아내 중, 한나를 더 사랑했지만 한나는 아이를 낳지 못했습니다. 한나가 아이를 낳지 못한 것은 한나의 무능이 아니라 하나님이 하신 일이었습니다(5, 6절). 엘가나는 아이를 낳지 못하는 한나를 사랑했지만 '브닌나'는 한나를 고통스럽게 했습니다.

2. 한나의 기도(1:9-18)

제사를 드린 후, 한나는 하나님 앞에 통곡하고 기도하며 서원합니다. 하나님이 막으신 것은 하나님만이 문을 열어주실 수 있기에 우리도 한나처럼 끈질기게 기도해야 합니다. 자신의 수치심과 원통함과 슬픔을 기도로 쏟아놓는 한나는 서원을 통해 하나님께 응답을 구하고 있습니다.

엘리 제사장은 기도하는 것과 술에 취한 것을 분별하지 못하고 한나를 책망했으나 한나의 고백을 듣고 축복했습니다. 하나님께서 한나의 기도를 들으셨고, 제사장을 통해 응답하셨습니다.

3. 사무엘과 엘리(1:19-28)

하나님이 한나에게 아들을 주셨습니다. 그 이름은 '기도하여 얻은 자' 사무엘이라고 지었습니다. 아이가 젖을 뗄 나이가 되었을 때 한나는 사무엘과 함께 수소 제물을 끌고 하나님의 전을 찾아갔습니다(24절). 한나는 엘리에게 아이를 맡기고 서원을 갚았습니다. "하나님께 간구하여 받은 아들이므로 하나님께 다시 드립니다." '구하다'는 말을 4번 반복했습니다(27~28절). 하나님께서 한나의 기도와 서원을 통해 사무엘을 얻으셨습니다.

성경 공부

문제❶ 엘가나의 아내들의 이름과, 임신하지 못한 아내는? (1:2)

문제❷ 엘가나 당시의 제사장과 두 아들의 이름은? (1:3)

문제❸ 브닌나의 나쁜 행동은 무엇이며, 그에 대한 한나의 반응은? (1:5~7)

문제❹ 한나가 여호와께 통곡하며 기도했던 내용은? (1:11)

문제❺ 한나가 기도 응답으로 낳은 아들 사무엘이란 이름의 뜻은? (1:20)

오늘의 묵상

한나가 마음이 괴로워서 여호와께 나아와 기도합니다. 그리고 약속을 받은 후 더 이상 얼굴에 근심 빛이 없었습니다. 하나님은 순전한 믿음을 가진 자녀의 기도를 들으십니다.

한나는 처음 기도할 때 서원한 것을 잊지 않고, 응답해 주신 하나님께 약속을 이행합니다.

오늘의 적용

하나님께 드린 서원을 잘 이행하고 있습니까?

오늘의 기도

기도를 들으시는 주님께 감사드립니다. 서원한 대로 살겠습니다.

사·무·엘·상

2장

본문 소개

사무엘의 출생은 이스라엘의 미래에 영향을 끼치는 사건입니다. 한나는 기도에 응답하신 하나님의 주권을 찬양했습니다. 한나가 부른 찬양은, 다윗의 찬양(삼하 22:1-23:7)과 함께 사무엘서의 문을 열고 닫는 역할을 했습니다.
2장에서 한나의 찬양과 대조하여 엘리 제사장과 두 아들의 죄가 드러나고 있고(2:12-36), 하나님 성전에서 자라나는 사무엘의 성장과 엘리와 두 아들의 죄와 대조되고 있습니다. 타락한 제사장 대신 하나님 마음에 합한 제사장을 세우셨습니다.

1. 한나의 노래(2:1-11)

슬픔으로 기도했던 한나는 이제 즐거워하며 하나님을 찬양합니다. 하나님만이 사람을 변화시키시는 분이시며 변화시킬 능력을 지니신 분입니다.

❶ 하나님의 주권(2:4-8). 하나님의 주권은 전쟁의 승리와 패배, 경제적 부와 가난, 생사의 문제, 사회적 지위를 좌우합니다. 하나님은 모든 것을 뒤집을 수 있는 절대 통치자이십니다.

❷ 하나님의 신실하심(2:9-10). 하나님은 신실한 자들의 걸음을 지켜 주시지만 악한 자들은 분노로 심판하시는 분이십니다.

2. 엘리와 두 아들의 타락(2:12-36)

어린 사무엘과 엘리 제사장의 두 아들을 대조하여, 불량한 엘리의 아들들은 버림받고 사무엘은 하나님과 사람들에게 은총을 받았습니다.

❶ 엘리 두 아들의 죄(2:12-17). 엘리의 아들들은 불량자이며 하나님을 알지 못했습니다. 두 아들의 죄는 여호와의 제사를 비웃고 멸시한 죄였습니다. 그들은 율법에 규정된 모든 규례를 무시하고(14절) 하나님께 바치는 제물을 중간에서 도둑질했습니다(16절). 그들은 하나님께 큰 죄를 저질렀습니다.

❷ 사무엘의 성장(2:18-21). 엘리 두 아들과 비교하여 사무엘은 여호와 앞에서 섬기고(18절), 여호와 앞에서 자랐습니다(21절). 한나도 사무엘을 대신하여 3남 2녀의 축복을 받았습니다(21절).

❸ 엘리 집에 내린 저주(2:22-36). 사무엘을 복 주신 하나님은(26절), 엘리 가문에는 저주를 내렸습니다. 하나님은 자신을 존중히 여기는 자를 존중히 여기고, 하나님을 멸시하는 자들을 경멸하시는 분입니다. 엘리의 두 아들 홉니와 비느하스를 죽이시고 하나님께 충실한 제사장을 일으키실 것을 말씀하셨습니다(35절).

성경 공부

문제❶ 한나가 만난 하나님은 어떤 분이셨습니까? (2:6~7)

문제❷ 엘리의 두 아들이 여호와께 범한 죄는 무엇입니까? (2:16)

문제❸ 아들들의 악행에 대해, 아버지 엘리 제사장의 고백은? (2:25)

문제❹ 하나님의 사람이 전한 엘리 제사장의 잘못은? (2:27~29)

문제❺ 하나님께 대해 어떻게 행동해야 할 것을 말씀합니까? (2:30)

오늘의 묵상

아버지 엘리 제사장은 아들에게 하나님을 존중하는 법을 바로 가르치지 못했습니다. 또한 아들 제사장들 역시 하나님을 멸시하는 행동을 주저하지 않았습니다. 그 결과는 끔찍하게도 가문이 멸망합니다.
그 속에서도 하나님께 신실한 어린 사무엘이 자라고 있었습니다.

오늘의 적용

나는 하나님을 멸시하는 행동을 하고 있지는 않습니까?

오늘의 기도

온 세상의 구원자 되시는 하나님을 찬양합니다. 주님만 높임을 받으시옵소서.

사·무·엘·상

3장

본문 소개

하나님을 업신여긴 불량한 제사장을 심판하시고, 하나님을 존중하는 충실한 제사장을 일으키십니다. 아직 어리지만 사무엘이 선지자로 부름을 받습니다.
이제 사무엘이 중심인물이 되어 그 이름이 24번이나 언급되었습니다. 하나님 사람을 통해 이미 경고하신 엘리 가문에 대해, 심판(3:12)을 속히 이루실 것이라고 사무엘을 통해 말씀하셨습니다.

1. 사무엘 시대 설명(3:1-3)

사무엘은 어린 나이에 소명을 받았습니다. 그 시대에 여호와 말씀은 매우 희귀하고 이상도 없었습니다. 말씀과 이상은 선지자를 통해 하나님의 뜻을 전하는 수단이었습니다(아모스 8:11-12). 엘리와 두 아들의 시대에 하나님은 침묵하셨습니다. 그러나 사무엘을 통해 말씀하시고 말씀이 살아있는 시대로 회복되었습니다(19~21절).

2. 사무엘을 부르심(3:4-14)

어린 사무엘이 하나님의 부르심에 응답할 때까지 하나님은 사무엘을 네 번이나 계속 부르셨습니다(4~5절, 6~7절, 8~9절, 10~14절).
세 번째까지 사무엘이 엘리에게 달려간 것은 사무엘이 아직 하나님을 알지 못했기 때문입니다(7절). 그러나 엘리는 하나님이 사무엘을 부르시는 것을 알았고, 어린 사무엘에게 하나님의 부르심에 응답하는 법을 알려주었습니다. 이제 엘리 시대는 끝나고 사무엘 시대가 시작됨을 보여주셨습니다. 하나님은 사무엘에게 엘리 집에 대한 심판과 저주를 다시 예언하셨습니다(2:27-36).

3. 사무엘이 전하다(3:15-18)

어린 사무엘이 나이 많은 엘리에게 하나님이 주신 심판의 예언을 전했습니다. 선지자의 소명이 사무엘에게 넘어왔으며 새로운 영적 시대가 열렸습니다.

4. 말씀이 넘치는 시대(3:19-4:1)

말씀이 사라졌던 시대에서 말씀이 가득한 시대로 변화되었습니다. 하나님은 사무엘의 말을 하나도 땅에 떨어뜨리지 않게 하심으로 사무엘이 선지자로 세우심을 받은 것을 모두에게 알게 하셨습니다(20절).

하나님이 실로 성막에서 다시 사무엘에게 나타나 두 번째 말씀하셨습니다(21절). 이제 사무엘을 통해 이스라엘에게 하나님이 말씀하시기 시작하셨습니다(4:1). 하나님께 충실한 선지자를 찾으실 때, 하나님은 언제나 말씀으로 인도하시는 분이십니다.

성경 공부

문제❶ 당시 여호와의 말씀이 "희귀"했던 이유는? (3:1)

문제❷ 여호와의 부르심에 어린 사무엘이 엘리에게 나아갔던 까닭은? (3:7)

문제❸ 하나님의 부르심을 인식하지 못한 사무엘을 몇 번 부르십니까? (3:4~10)

문제❹ 하나님께서 엘리 제사장 가문에 관해 예언하신 말씀은? (3:13~14)

문제❺ 사람들은 사무엘이 선지자임을 무엇으로 알았습니까? (3:19~20)

오늘의 묵상

엘리 제사장 시대에 하나님 말씀이 희귀했던 이유는, 말씀을 멸시했기 때문입니다. 그러나 하나님께 충실한 사무엘에게 하나님은 다시 말씀하기 시작하셨습니다. 이 영적 원리는 지금 우리 시대에도 똑같이 작동합니다.

오늘의 적용

말씀을 가까이하는 것이 하나님을 사랑하는 것입니다. 내게 주신 하나님 말씀을 얼마나 가까이하고 있습니까?

오늘의 기도

하나님을 존중히 여기며 살겠습니다.

사·무·엘·상

4장

본문 소개

어린 사무엘은 하나님의 부르심을 받고 엘리 가문에는 하나님이 경고하신 저주가 입합니다. "네 두 아들이 한 날에 죽으리니... 그 일이 네게 표징이 되리라"(2:34). 블레셋과의 전쟁에서 하나님은 엘리 제사장과 두 아들에 대한 저주와 심판을 성취하시고 법궤마저 빼앗기게 하셨습니다. 하나님을 섬기는 제사장들의 타락으로 인해 제사장도 죽임을 당하고, 법궤는 빼앗기고 실로의 성막 시대는 막을 내리게 되었습니다.

1. 블레셋과의 전쟁(4:1-11)

블레셋 사람들은 가나안 해안가에 자리 잡은 민족으로 강한 무기를 소유하고 있으며, 사사 시대로부터 다윗 시대까지 하나님이 사용하신 징계의 도구였습니다. 블레셋과의 전쟁이 시작되고 이스라엘은 첫 번째 전투에서 크게 패배하고 4천 명이 목숨을 잃었습니다.

전쟁의 패배에 대해 여호와께 질문하던 이스라엘 장로들은 여호와의 법궤가 자기들과 함께 하지 않았다는 이유를 말합니다. 그래서 그들은 즉시 법궤를 실로 성막에서 에벤에셀로 가져왔습니다. 법궤가 움직이면 제사장들도 따라왔습니다(4절). 그리고 엘리의 두 아들은 법궤를 빼앗기고 죽임을 당하게 되었습니다(11절).

여호와의 법궤가 이스라엘 진영에 도착하자 이스라엘 군대는 환호하고 블레셋 군대는 절망했습니다(7~8절). 그들은 여호와의 법궤가 전쟁에 참여한다는 것이 무엇을 의미하는지 잘 알고 있었습니다. 그러나 두 번째 전쟁에서 이스라엘은 더 큰 패배를 당하여 3만 명이 죽고, 여호와의 궤도 빼앗겼습니다.

2. 엘리 집안의 심판(4:12-22)

블레셋과의 전투에서 엘리의 두 아들, 홉니와 비니하스가 죽임을 당했습니다. 엘리는 아들들의 사망 소식과 여호와의 법궤를 빼앗긴 소식을 듣고 충격으로 의자에서 뒤로 넘어져 죽었습니다(12~18절).

비느하스의 아내도 충격으로 조산하고 아이에게 "이가봇" '영광이 떠났다'라는 이름을 지어주고 죽습니다. 법궤를 이방 땅으로 빼앗긴 것은 영광이 이스라엘에서 떠났음을 뜻합니다. 제사장들의 타락이 실로의 성막을 파괴하고 법궤의 굴욕을 가져왔습니다. 엘리 두 아들의 죄가 하나님의 성전을 파괴했습니다. 탐욕에 빠진 교회가 오늘도 하나님 영광을 가리고 있습니다.

성경 공부

문제❶ 이스라엘이 진을 친, 에벤에셀의 뜻은? (4:1) (사무엘상 7:12 참조)

문제❷ 장로들이 블레셋과의 전쟁 패배 원인을 무엇으로 보았습니까? (4:3~4)

문제❸ 그러나 언약궤가 전장에 있었음에도 블레셋에게 패배한 원인은? (4:11)

문제❹ 엘리 가문에 경고한 하나님의 심판은 어떻게 성취되었습니까? (4:10~18)

문제❺ 비느하스의 아내가 낳은 아들의 이름과 그 뜻은? (4:21, 22)

오늘의 묵상

이스라엘은 블레셋과의 전쟁 패배 원인을 언약궤 때문이라고 생각했습니다. 하나님의 궤가 마치 우상의 한 형태로 전락하게 된 것입니다. 오늘날 교회에도 이러한 현상이 여러 가지 모양으로 나타나고 있습니다. 하나님 영광이 떠난 곳에 진정한 회개가 없다면, 하나님 영광은 회복할 수 없습니다.

오늘의 적용

현재 내 삶에, 하나님 영광이 함께하신다고 확신할 수 있습니까?

오늘의 기도

우상을 버리고 악에서 떠나 여호와께로 돌아가겠습니다.

사·무·엘·상

5장

본문 소개

전쟁에서 이긴 블레셋은 전리품이 된 여호와의 법궤를 자기들의 다곤 신전에 자랑스럽게 전시했습니다. 블레셋은 자기들이 승리한 이유를 알지 못했고 블레셋 신 다곤이 이스라엘 신 여호와를 이겼다고 생각했습니다. 그러나 하나님은 블레셋에게 법궤가 살아있음을 체험하게 하십니다.

이스라엘의 죄와 어리석음으로 하나님이 수치를 당하셨습니다. 하나님의 성전과 제물이 더럽혀지면 하나님이 거하실 처소가 더럽혀진다는 것을 제사장도 이스라엘 백성들도 알지 못했습니다.

1. 포로가 된, 법궤(5:1~2)

고대 근동의 전쟁 풍습에서 전쟁에서 승리한 나라가 패배한 나라의 신의 상징을 포로로 가져와 자신들의 신전에 보관했습니다.

이런 행동은, 승리한 신이 패배한 신의 능력을 흡수하여 더 강해진다고 믿었습니다. 그날 밤 신들의 전쟁이 시작되었습니다. 승자는 패자가 되고 하나님은 다곤 신에게 수모를 안기고 스스로 영광을 되찾으셨습니다.

2. 제물이 된, 다곤(5:3~5)

다음 날, 다곤이 여호와 앞에 경배하듯 엎드려졌습니다. 다곤이 여호와 앞에 굴복한 모양새가 되었습니다. 다음 날은 다곤이 엎드려져 있고 목과 두 손목이 부러져 있었습니다. 다곤 신이 밤마다 수난을 당했습니다. 머리와 손은 승리를 상징했습니다. 부러진 것은 패배를 뜻했습니다. 블레셋 사람들은 여호와의 능력을 보고도 믿지 못했습니다.

3. 법궤의 저주(5:6~12)

다곤 신을 굴복시킨 여호와의 법궤는 이제 블레셋 사람들을 저주하기 시작했습니다. 블레셋 땅에서도 하나님은 자신의 영광을 드러내셨습니다.

❶ 아스돗 사람들에게 종기 전염병이 돌았습니다(6절).

❷ 가드로 옮겨진 후에 악성 종기 고통을 받았습니다(9절).

❸ 에글론으로 보내진 법궤는 죽임과 독한 종기로 환란을 당하게 했습니다. 블레셋 사람들은 법궤로 인해 무서운 재앙을 겪으면서도 법궤를 포기하지 못했습니다. 법궤는 최고의 전리품이었기 때문입니다. 법궤는 블레셋 주요 도시 아스돗, 가드, 에그론 그리고 다시 아스돗을 순회하며 승리의 퍼레이드를 하시는 것 같습니다.
이스라엘은 법궤를 잃어버리는 큰 죄를 지었지만, 하나님은 자신을 거룩하게 하셨습니다.

성경 공부

문제❶ 블레셋이 하나님의 궤를 어디에 두었습니까? (5:1)

문제❷ 하나님의 법궤를 다곤 신전에 둔 결과는? (5:2~4)

문제❸ 아스돗에 번진 재앙은? (5:6)

문제❹ 하나님의 궤를 가드로 옮긴 이유는? (5:8~9)

문제❺ 블레셋이 하나님의 법궤를 어떻게 하기로 결정합니까? (5:11)

오늘의 묵상

하나님이 이스라엘로 패배하게 하신 것을 모르는 블레셋은, 자기들의 다곤 신이 하나님보다 강하다고 착각합니다. 하나님은 그런 어리석은 블레셋의 도시를 순회하시며 하나님의 살아계심과 능력을 나타내 알게 하십니다.

오늘의 적용

하나님 은혜임을 모르고, 나의 의로움 때문이라고 교만하지는 않습니까?

오늘의 기도

죄인 중에 괴수인 저를 구원해 주신 주님의 은혜에 감사드립니다.

사·무·엘·상

6장

본문 소개

블레셋에 대한 하나님의 심판은 이스라엘 나라에 하나님 시대를 열었습니다. 법궤를 블레셋에게 빼앗긴 지 7개월이 지났습니다. 법궤로 인해 큰 재앙과 환란을 당한 블레셋은 법궤를 돌려보내는 것만이 살길임을 깨달았습니다(5:11).

법궤가 이스라엘 벧세메스로 돌아온 후에 이스라엘 백성은 큰 잔치를 벌였으나 법궤를 들여다본 주민 70명이 죽임을 당했습니다. 하나님 임재의 상징인 법궤를 존중히 여기지 못했습니다.

1. 법궤를 돌려보낼 준비(6:1-9)

여호와의 법궤로 인해 블레셋 주요 도시들은 에볼라 바이러스보다 더 큰 재난과 고통을 당했습니다. 블레셋 제사장들이 여호와의 법궤를 돌려보내는 규례를 알려주었습니다.

첫째. 부정을 제거하는 속건 제를 준비하게 했습니다.

'금 독종, 금 쥐'(4~5절)를 블레셋 다섯 도시 숫자만큼 준비하여 블레셋 온 나라가 하나님께 항복했음을 상징했습니다. 이스라엘은 패배했지만, 하나님은 승리하셨습니다.

둘째. 출애굽 때 바로처럼 마음을 강퍅하게 하지 말라고 권면했습니다(6절).

블레셋 백성들은 자신들이 당한 일을 출애굽과 비교해서 해석했습니다.

셋째. 법궤와 속건 제물을 새 수레와 멍에를 매어보지 못한 젖 나는 두 암소가 끌도록 했습니다(7절).

여호와가 재앙의 근원인지, 우연히 일어난 일인지 알고 싶어했습니다.

블레셋 제사장들이 이스라엘 제사장들보다 더 정중했습니다.

2. 벧세메스로 돌아온 법궤(6:10-18)

암소들은 본능을 거부하고 주저함도 없이 이스라엘을 향해 걸어갔습니다. 이제 블레셋 사람들은 자신들이 당한 일이 여호와께서 행하신 일임을 깨닫습니다. 벧세메스는 '태양의 집'으로 블레셋 접경 지역에 있습니다. 7개월 만에 법궤가 이스라엘 땅으로 돌아왔습니다.

3. 법궤를 기럇여아림으로 보냄(6:19-7:2)

벧세메스 사람들이 법궤를 함부로 대하다가 70명이 죽임을 당했습니다. 실로의 성막은 불타고, 엘리와 두 아들 제사장은 죽고, 백성들은 법궤에 대한 율법과 규례도 몰랐습니다. 사람들은 기럇여아림으로 법궤를 보내 아비나답의 집에 법궤를 두고 그 아들 엘리아살을 특별하게 제사장으로 세워 법궤를 섬기게 했습니다.

7~80년 후에 다윗이 법궤를 예루살렘으로 옮기게 됩니다(삼하 6:3-4).

성경 공부

문제❶ 여호와의 궤가 블레셋 땅에 머문 기간은? (6:1)

문제❷ 여호와의 궤를 이스라엘로 돌려보내기 전 드린 속건 제의 의미는? (6:4) (레위기 5:14~19 참조)

문제❸ 블레셋이 여호와께 드릴 속건 제물을 무엇으로 정하였습니까? (6:4)

문제❹ 블레셋에 임한 재앙이 하나님께서 내리신 것인지를 알고 싶어 했던 방법은? (6:9~12)

문제❺ 벧세메스 사람들이 법궤를 어떻게 하기로 결정합니까? (6:19~21)

오늘의 묵상

법궤 사건은 블레셋에게는 하나님의 심판을, 이스라엘에게는 하나님 신앙을 회복하는 계기가 되었습니다. 교만했던 블레셋은 7개월간 펼쳐진 하나님 심판을 겪으며 법궤를 돌려보내는 것만이 살길임을 깨닫습니다. 법궤가 돌아오는 과정에서 블레셋 제사장들이 법궤를 존중하는 태도를 보인 반면, 이스라엘 백성들은 하나님의 법궤를 대하는 규례에 대한 무지로 존중히 여기지 못했습니다.

오늘의 적용

나는 하나님을 존중합니까? 이방인이나 불신자들과 비교하면 어떻습니까?

오늘의 기도

하나님 말씀을 바로 알아 주님을 섬기는 일에 소홀함이 없게 하겠습니다.

사·무·엘·상

7장

본문 소개

실로의 성막은 불량한 제사장 엘리와 두 아들과 함께 불탔고, 빼앗겼던 여호와의 법궤는 다시 돌아왔습니다(4~6장).
그리고 사무엘이 다시 등장합니다. 사무엘의 영적 권위는 이미 인정되었습니다(3:19-21). 하나님을 멸시하던 시대는 끝나고 하나님을 존중히 여기는 시대가 시작되었습니다. 법궤가 돌아오고 사무엘은 선지자, 제사장, 사사의 역할을 감당하며 하나님을 위한 새로운 역사의 문을 열었습니다.

1. 언약 백성의 의무(7:2-4)

법궤가 기럇여아림에 머문 지 20년이 지나고 이스라엘 백성이 여호와를 사모하기 시작했습니다. 하나님을 사모하는 마음이 새로운 일이 시작될 수 있는 징조였습니다. 사무엘이 일어나 백성들에게 회개를 촉구하고 우상을 버리고 하나님만을 섬길 것을 요구했습니다. 바알 우상은 남성이고 아스다롯은 여성 신입니다. 이스라엘 백성들은 '마음을 다하여' 하나님을 찾고 하나님을 섬겨야 했습니다.

2. 미스바 회개와 전쟁(7:5-11)

사무엘은 예루살렘 북서쪽 13km 떨어진 미스바에서 영적 대각성 운동을 일으켰습니다. 백성들은 하나님 앞에 철저하게 회개했습니다.

첫째, 여호와 앞에 물을 부었습니다(6절).

물을 붓는 것은 물 마시는 것을 거부하는 철저한 겸손과 낮아짐을 뜻합니다.

둘째. 금식했습니다.

먹는 것을 거부하며, 죽고 사는 것이 여호와께 있음을 고백했습니다. 거대한 영적 회개 운동을 보고 블레셋이 전쟁을 일으킵니다. 블레셋의 전쟁은 하나님께로 돌아온 언약 공동체를 위해 하나님이 어떤 구원을 주시는지 보여주는 사건이 되었습니다.

백성들은 사무엘에게 기도를 요청했습니다. "우리를 위하여 쉬지 말고 부르짖어 우리를 구원하게 하소서" 젖 먹는 어린양을 제물로 드리고 기도하자, 하나님께서 큰 승리를 거두게 하셨습니다(10절). 하나님이 이스라엘을 위하여 싸우셨습니다.

3. 에벤에셀 돌기둥(7:12-17)

승리의 기념비는 에벤에셀 '여기까지 도우신 하나님'을 기념했습니다. 그리고 사무엘이 사사로 통치하는 동안 블레셋 침략이 없었습니다(13절). 빼앗긴 땅을 다시 찾았으며 이스라엘 주요 도시를 순회하며 다스렸습니다. 하나님이 통치하시는 거룩한 영광이 회복되었습니다.

성경 공부

문제❶ 블레셋에서 돌아온 여호와의 궤는 어디에, 얼마간 있었습니까? (7:1~2)

문제❷ 하나님이 이스라엘을 블레셋에서 건져내시는 조건은? (7:3)

문제❸ 이스라엘 백성들이 영적 각성을 위해 모인 곳과 한 일은? (7:5~6)

문제❹ 블레셋의 침략에, 이스라엘 백성들이 사무엘에게 요청한 것은? (7:7~8)

문제❺ 사무엘의 간구에 하나님은 어떻게 응답하셨습니까? (7:9~11)

오늘의 묵상

이스라엘이 블레셋의 위협에서 벗어나고 승리하는 방법은, 이방 신들을 제거하고 마음을 여호와께로 향하여 하나님만을 섬기는 것입니다.
미스바와 같은 철저한 겸손과 낮아짐과 하나님을 신뢰하는 믿음만이 하나님의 구원을 얻습니다.

오늘의 적용

내 삶에서 반드시 제거해야 할 우상과 죄의 목록을 적어보십시오.

오늘의 기도

주님! 우리 민족과 열방이 우상을 버리고 죄악에서 떠나 하나님께로 돌아오게 하옵소서.

사·무·엘·상

8장

본문 소개

사무엘을 통해 이스라엘은 하나님이 통치하시는 강력한 국가의 위상을 회복했습니다. 엘리 시대에 보여주지 않으셨던 하나님이 사무엘 시대를 이끄시며 복 주셨습니다. 이스라엘은 평안했고 가장 이상적인 사사 시대 통치를 경험했습니다.

8장에서 15장까지, 이스라엘 첫 왕에 관한 이야기가 전개됩니다. 사무엘은 늙었고 그 아들들은 사무엘처럼 존경받지 못했습니다. 엘리나 사무엘도 타락한 아들들로 인해 국가적 변화를 일으키게 되었습니다. 하나님이 버림을 받는 시대가 되었습니다.

1. 사무엘의 아들들(8:1-3)

사무엘의 두 아들, 요엘과 아비야가 브엘세바에서 사사가 되었습니다. 엘리의 아들들처럼 사무엘의 아들들도 백성들에게 불신받는 사사였습니다. 엘리의 아들들은 제사에서, 사무엘 아들들은 재판에서 타락했습니다.

2. 백성들의 요구(8:4-9)

엘리의 아들들로 인해 블레셋에게 하나님 보좌 상징인 법궤를 빼앗기게 하셨던 하나님은, 사무엘 아들들로 인해 왕정 제도를 요구하는 백성들에게 또다시 버림을 당하셨습니다. "그들이 너를 버림이 아니요 나를 버려 자기들의 왕이 되지 못하게 함이니라"(7절) 왕의 요구는 반역이었습니다.

하나님은 모세를 통해 왕의 제도와 규례를 이미 설명하셨습니다(신 17:14-20). 때가 되면 하나님은 왕을 세우실 계획을 갖고 계셨습니다. 그러나 지금 백성들이 왕을 요구하는 것은 하나님의 신정체제를 거부하는 배신행위와 같았습니다.

3. 사무엘의 경고(8:10-18)

사무엘은 '왕을 구하는 자'들에게 하나님 말씀을 선포했습니다. 왕들은 백성의 것을 탈취할 것입니다. 세금, 징병 등의 착취를 통해 끊임없이 백성들의 소유와 자녀를 빼앗을 것이라고 경고하십니다(11, 13~ 14, 16절). 이제 왕권이 들어서면 백성들은 계속 왕에게 바치며 살아야 합니다.

4. 백성들의 요구(8:19-22)

"우리도 다른 나라와 같이 되게 하소서" 이스라엘을 세상과 구별된 백성이어야 했으나 그들은 하나님과의 언약을 거부하는 요구를 하고 있었습니다. 왕을 세우고 전쟁하겠다고 선언함으로 '전쟁은 여호와께 속한 것'이라는 하나님의 주권도 버렸습니다. 하나님은 왕을 허락하셨습니다. 이제 이스라엘은 자신의 선택에 책임져야 합니다.

성경 공부

문제❶ 사무엘의 아들들이 범한 죄는? (8:1~3)

문제❷ 장로들이 사무엘을 찾아 요구한 것과, 그 이유는 무엇입니까? (8:4~5)

문제❸ 백성들의 요구에 하나님은 무엇을 말씀하십니까? (8:6~8)

문제❹ 왕을 요구한 백성들이 치러야 할 대가를 간단히 써보십시오. (8:9~17)

문제❺ 사무엘의 만류에도 백성들이 왕을 요구하는 이유를 써보십시오. (8:20)

오늘의 묵상

지도자들의 잘못, 백성들에게 또 다른 잘못을 선택하도록 만들었습니다. 백성들의 선택은 하나님의 다스림에서 벗어나 하나님을 버리려는 행동이었습니다.

선택에는 대가가 따릅니다. 그리고 선택한 것에 대한 책임은 전적으로 선택한 사람이 져야 합니다.

오늘의 적용

내가 어떤 것을 선택하거나 결정할 때의 기준은 무엇입니까?

오늘의 기도

주님만 우리를 다스려 주옵소서.

사·무·엘·상

9장

본문 소개

이스라엘 왕정 시대가 시작되었습니다. 이스라엘 초대 왕으로 사울이 선정되었습니다. 9~11장은 사울이 왕으로 세워지는 과정을 설명하고, 13~15장은 사울이 버림받은 이야기를 기록하고 있습니다. 12장은 사무엘의 고별 설교를 담았습니다. 사울은 아버지가 잃어버린 암나귀를 찾다가 하나님의 부르심을 받게 됩니다. 일상의 작은 일이 하나님의 기회가 되었습니다.

1. 사울이 암나귀 찾아감(9:1-4)

사울은 베냐민 지파 '기스'의 아들이며 외모가 탁월한 사람이었습니다. 사울의 집안 배경과 신체적 조건이 왕이 되기에 합당한 자로 묘사되었습니다. 이스라엘이 "다른 나라들처럼 왕이 다스리는 나라"를 원한 것처럼 이방인이 생각하는 왕의 기준에 따라 선택하셨습니다. 사울은 잃어버린 암나귀를 찾기 위해 길을 떠났다가 사무엘을 만나게 되고 자신을 향한 하나님의 섭리와 뜻을 찾게 됩니다.

2. 사울이 사무엘을 찾아감(9:5-14)

암나귀를 찾아다니다 사무엘의 고향 숩까지 갔습니다. 사울의 종이 마지막 수단으로 선견(지)자를 찾아가기를 권유합니다. 사람들은 선지자를 찾아갈 때 선물을 가져갔습니다. 사울과 그 종은 사무엘을 만나러 갔다가 마침 제사를 드리기 위해 막 도착한 사무엘을 만나게 됩니다. 하나님의 섭리 안에서 우연은 없습니다. 사람의 걸음을 정하시고 그 걸음을 인도하시는 분은 하나님입니다.

3. 하나님이 사울을 찾으심(9:15-21)

사울이 도착하기 전날, 하나님은 사무엘에게 사울에 대해 말씀해 주셨습니다. 사울을 이스라엘 백성의 지도자로 세울 것을 명령하셨습니다. 사울을 만나자 "바로 그 사람"이라고 하나님이 말씀하셨습니다. 사무엘은 잃어버린 암나귀를 찾았다는 말과 함께 "이스라엘이 사모하는 자가 당신이다."라며, 하나님의 사명에 대해 알게 하셨습니다.

4. 사울이 소명을 찾음(9:22-27)

사무엘은 사울을 제일 귀한 자리에 앉히고, 특별한 손님 대접을 했습니다. 모든 일들이 철저하게 준비되었습니다. 잃어버린 암나귀에서 제사까지 하나님의 섭리는 완벽하게 진행되었습니다. 사무엘은 사울과 단둘이 하나님의 뜻에 대해 함께 나눴습니다.

성경 공부

문제❶ 사울은 어느 지파이며, 그리고 누구의 아들입니까? (9:1~2)

문제❷ 사울 일행은 잃은 나귀를 찾아 나섰다가 누구를 찾아갑니까? (9:4~10)

문제❸ 사울에 관해 하나님이 사전에 사무엘에게 알리신 것은? (9:15~16)

문제❹ 사울을 만난 사무엘이 전한 말은? (9:20)

문제❺ 사울은 사무엘에게 자신을 어떻게 소개하고 있습니까? (9:21)

오늘의 묵상

이스라엘 백성의 요구대로 왕을 허락하십니다. 사무엘은 하나님이 왕 되심을 거절하는 백성들의 선택에 찬성하지 않았지만, 하나님의 뜻에 순종하였고, 사울을 만나게 됩니다.

하나님은 사무엘을 통해 사울의 소명을 알게 하십니다.

오늘의 적용

나는 어떻게 하나님의 뜻을 바르게 알고 실천하고 있는지 적어봅시다.

오늘의 기도

오늘도 제 삶을 향한 하나님의 뜻을 잘 알고 실천하겠습니다.

사·무·엘·상

10장

본문 소개

사무엘은 사울과 단둘이 남자, 사울에게 기름을 붓고 세 가지 징표가 이루어질 것을 말합니다. 사울에게 기름을 붓고 준비시킨 사무엘은 이스라엘 백성을 여호와 앞에 부르고 미스바에서 제비뽑기를 통해 사울을 이스라엘 초대 왕으로 세웁니다. 과거 이스라엘이 베냐민 지파를 진멸시키려 했던 미스바에서(삿 20:1-11) 베냐민 지파 사람 사울이 초대 왕으로 선출되었습니다. 하나님은 과거의 수치를 지우시는 분이십니다.

1. 사울에게 기름을 부음(10:1-8)

구약에서 기름 붓는 행위는 하나님의 권력을 위임하는 것을 뜻합니다. 기름 부음을 받는 것은 특별하며, 왕정 제도가 제사장 제도와 같이 하나님이 직접 세우시는 제도임을 뜻하는 거룩한 표시입니다.

"이제 주의 백성을 다스리고, 모든 적에게서 이 백성을 보호하라" 왕이 해야 할 책임을 선포하신 후에 하나님께서 사울을 이스라엘 지도자로 세우셨다는 증거 세 가지를 보여주셨습니다.

① 베냐민의 조상 라헬의 묘지에서 나귀를 찾았다는 소식을 듣게 된다.

② 벧엘로 예배드리러 가는 세 사람이 빵 두 덩이를 줄 것이다.

③ 성령을 받아 새사람이 될 것이다.

그리고 길갈에 가서 7일을 기다리라고 지시했습니다.

2. 세 가지 징조가 성취됨(10:9-16)

사무엘이 말한 징조가 다 이루어졌습니다. 세 번째 징조에 대해 자세히 설명하고 있습니다. 하나님은 사울에게 "새 마음과 하나님의 영"을 주셨고 사람들은 사울의 놀라운 변화를 눈으로 목격할 수 있었습니다(12절). 하나님은 사람에게 새로운 사명을 주실 때 스스로 사명을 확신할 수 있도록 증거도 함께 주시는 분이십니다.

3. 사울이 왕으로 추대됨(10:17-27)

하나님은 사무엘을 통해 사울을 왕으로 준비시키시고, 미스바 전국 대회에서 제비뽑기를 통해 사울을 공식적으로 왕으로 세우셨습니다. 사무엘은 먼저 왕정 제도가 하나님의 통치를 거부하는 행위임을 지적하고(17~19절), 왕을 지명했습니다. 사울은 숨어 있었습니다. 세 가지 징조를 보여주셨으나 사울은 아직도 자신이 없었습니다. 사울을 찾아내어 "사울 왕 만세"를 외친 후 많은 사람이 사울을 따랐으나 일부 사람들은 사울을 반대했습니다.

성경 공부

문제❶ 사무엘이 사울에게 기름을 부은 것은 어떤 의미입니까? (10:1)

문제❷ 하나님께서 사울에게 주신 약속을 적어보십시오. (10:6)

문제❸ 7절 말씀을 읽고, 빈칸을 채워 보십시오.

이 징조가 네게 임하거든 (   )하시느니라.

문제❹ 하나님이 베푸신 구원에도 백성들의 태도는 어떠했습니까? (10:18~19)

문제❺ 하나님께서는 사울에게 어떤 사람들을 붙여주셨습니까? (10:26)

오늘의 묵상

하나님께서 사무엘을 통해 사울에게 기름 부으시고 그를 왕으로 세우시고 징조를 통해 하나님이 왕으로 세우셨음을 확인시켜 주십니다.
백성은 사울이 왕 됨을 기뻐했지만, 여전히 반대하는 사람도 있었습니다.

오늘의 적용

하나님이 내게 베푸신 은혜에 대해 어떤 태도를 가져야 합니까?

오늘의 기도

오늘도 "왕 같은 제사장"의 신분으로 당당하게 살겠습니다.

사·무·엘·상

11장

본문 소개

하나님은 사람을 세우시고 사람들에게 인정받도록 기회를 주시는 분이십니다. 여호수아를 모세의 후계자로 세우시고 사람들에게 신뢰받도록 만드셨습니다(수 3:7, 4:14).

사울이 왕으로 임명된 지 한 달 후, 암몬이 전쟁을 일으키고 사울은 이스라엘 왕으로 자기의 능력을 보여줄 기회를 얻게 됩니다. 왕의 사명이 '백성과 나라에 대한 통치와 보호'에 있기 때문입니다. 하나님께서 이스라엘과 함께하심으로 사울의 능력을 입증해 주셨습니다. 사람들에게 인정받지 못하면 하나님께 쓰임 받을 수 없습니다. 하나님은 세우시고 높이셨습니다.

1. 암몬이 전쟁을 일으킴(11:1-4)

암몬 사람들이 갓과 르우벤 지파 사람들에게 고통을 주고 있었습니다. 암몬 족속이 야베스를 포위하자 주민들은 항복하고 조공을 바치겠다고 했습니다. 그러나 암몬의 나하스는 너희 오른쪽 눈을 빼버린 후에 항복을 받아들이겠다고 모욕했습니다. 야베스 장로들이 7일 안에 군대를 동원할 수 없으면 항복하겠다고 제안했습니다.

2. 야베스를 구원하는 사울(11:5-11)

사울이 밭을 갈다가 야베스 사람들의 소식을 들었습니다. 하나님의 영에 크게 사로잡힌 사울은 소 두 마리를 죽여 각을 떠서 각 지파에게 보내며 "사울과 사무엘을 따르라"라고 경고했습니다. 여호와의 두려움이 이스라엘에게 임하자 33만의 군대가 모였습니다. 하나님께서 이 전쟁을 지휘하고 계셨으며 사울의 리더십이 되셨습니다.

야베스 사람들이 암몬 왕 나하스를 속여 방심하게 만든 틈에 사울이 암몬을 쳐서 큰 승리를 거두었습니다.

3. 길갈 즉위식(11:12-15)

하나님께서 큰 승리를 주시고 사울의 리더십이 인정받게 하셨습니다. 사울을 초대 왕으로 기름 부으시고 하나님께서는 사울에게 세 가지 징조를 보여주시고, 이스라엘 백성들에게는 암몬과의 전쟁을 통해 사울이 이스라엘의 왕으로 세움 받았음을 입증해 주셨습니다.

사울은 하나님의 대리자로 세움을 받았으며 하나님은 구원을 이루시는 분이심을 선포했습니다. 사무엘은 백성들을 길갈로 불러 사울 왕 취임식을 거행했습니다. 사울은 이스라엘 왕이 되었으나 하나님의 왕권 대행자라는 사실을 기억해야 했습니다.

성경 공부

문제❶ 암몬과의 전쟁이 사울에게는 어떤 기회가 되었습니까? (11:1)

문제❷ 사울이 왕으로서 지도력을 발휘한 힘의 근원은? (11:6) (7절~11절 참조)

문제❸ 첫 전쟁에서 이긴 사울이, 하나님과 백성에게 보여준 태도는? (11:12~13)

문제❹ 사울의 태도가 가져온 축복의 결과는? (11:12~13)

오늘의 묵상

암몬이 일으킨 전쟁을 통해, 하나님은 아직 준비가 안 되었다고 스스로 생각하고 있던 사울이 백성들에게 인정받게 하는 계기도 만드셨습니다. 반대하던 사람들까지도 사울을 지지하게 하셨습니다.
그러나 사울은 하나님 백성의 통치자로 위임받은 대리자임을 잊지 말아야 합니다.

오늘의 적용

하나님께서 나를 지지하고 계심을 느끼십니까? 어떤 때입니까?

오늘의 기도

하나님이 베푸시는 복의 통로로 살겠습니다.

사·무·엘·상

12장

본문 소개

사무엘은 왕정 제도를 설립하고 발전시키는 역할을 담당했습니다. 12장에서 사무엘은 이스라엘 왕정 제도에 대해 마지막 고별사를 남겼습니다. 먼저 과거를 돌아보며 시내 산 언약에 대한 순종을 확인하고, 미래를 내다보며 이스라엘에 왕정 제도가 가져올 일을 경고합니다. 왕정 제도가 이스라엘 신정 통치를 거부하는 제도이며, 언약 공동체를 무너뜨릴 위험성이 크기 때문입니다. 장차 이스라엘 왕들이 시내 산 언약에 충성하는 것만이 왕정 제도가 성공할 수 있는 길임을 선언했습니다.

1. 하나님 사람의 인격(12:1-5)

사사 시대는 끝났습니다. 마지막 사사였던 사무엘은 새로운 통치 제도에 권력을 위임하고 정치 무대를 떠납니다. 평생 민족을 위해 살았던 사무엘의 삶을 '청렴함'으로 정의했습니다. 자신의 순수하고 깨끗한 인생을 회고하는 것으로, 초대 왕 사울에게 이스라엘을 다스리게 될 리더의 본보기로 삼을 것을 강조했습니다.

2. 하나님의 신실하심(12:6-11)

사무엘은 출애굽에서 사사시대까지 하나님이 베푸신 공의와 신실하심에 대해 증언했습니다. 하나님은 이스라엘과 맺은 언약에 충실하셨습니다. “부르짖으면 내가 구원하리라” 시내 산 언약에 따라 이스라엘이 하나님을 배반하고 위기에 빠질 때마다 지도자와 구원자를 보내셔서 자기 백성을 돌보신 하나님은 진정한 왕이셨습니다.

3. 하나님의 통치 거절(12:12-15)

암몬 왕 나하스와의 전쟁을 예로 들었습니다. “부르짖으면 구원하리라” 하나님께 부르짖거나 하나님을 의지하지 않고 인간 왕을 요구한 것은 하나님의 통치를 거절한 행위였음을 지적했습니다. 하나님은 왕정 제도에서도 시내 산 언약 관계는 계속 유지될 것을 약속하셨습니다. 언약에 따라 왕과 백성은 하나님께 충성해야 합니다.

4. 하나님만 섬겨라(12:16-25)

왕을 구한 자신들의 죄가 얼마나 큰지를 알지 못하는 백성들에게 우레와 비로 깨닫게 한 후에 사무엘은 마지막 권면을 남겼습니다. 하나님의 변함없는 사랑에 대해 마음을 다해 하나님을 경외하고 섬겨야 합니다.

새로운 왕정 시대에서도 시내 산 언약은 여전히 살아있습니다. 그러나 악을 행하면 왕과 백성은 다 망하게 될 것입니다.

성경 공부

문제❶ 사무엘은 누구의 뜻을 따라 자기의 지도력을 이양합니까? (12:1~5)

문제❷ 6~8절, 하나님이 이스라엘의 왕이십니다. 지금도 참 지도자는 누구십니까? (마태복음 23:10절 참조)

문제❸ 이스라엘이 죄를 회개하고 부르짖으면 하나님은 어떻게 용서하셨습니까? (12:10~11)

문제❹ 이스라엘의 왕은 누가 세우며, 누가 진정한 왕이십니까? (12:13~15)

문제❺ 사무엘이 고별 설교에서 백성들에게 했던 명령은? (12:23~24)

오늘의 묵상

이제 사무엘은 자기의 모든 지도력을 이양하며, 하나님이 이스라엘을 향해 신실하셨음을 상기시킵니다. 비록 하나님이 백성들의 요구를 허락하셨지만, 왕을 요구한 것은 하나님 통치를 거절한 것임을 경고합니다. 끝으로 여호와께서 너희를 위하여 행하신 큰일을 생각하여 하나님을 경외하며 마음을 다하여 진실히 섬기라고 명합니다. 만일 하나님을 떠나 악을 행하면 백성들과 왕이 다 멸망할 것이라고 경고합니다.

오늘의 적용

하나님 뜻에 순종하기보다 내 고집을 내세우는 것은 없습니까?

오늘의 기도

하나님 뜻에 제 모든 것을 철저히 맞추고 따르겠습니다.

사·무·엘·상

13장

본문 소개

사무엘을 통해 왕정 시대를 이끌 하나님 통치 원리가 선포되었습니다. 그러나 사울은 시내 산 언약에 충실하도록 요구하는 하나님의 통치를 거부하고 버림받게 됩니다.

13~15장은 사울의 실패를 기록합니다. 사무엘을 통해 전달된 왕정 시대 법을, 사울은 잊었습니다. 하나님을 경외하고 하나님 목소리에 순종하는 왕과 백성이 되는 것이 하나님 통치안에 사는 길이었습니다. 사울은 하나님 말씀을 버림으로 하나님께 버림받았습니다. 시내 산 언약에 대해 실패한 왕이었습니다.

1. 블레셋과 싸우다(13:1-7)

블레셋은 사울이 하나님께 버림받게 만든 나라가 되었습니다. 다윗은 블레셋으로 인해 명성을 얻었습니다. 사울은 3,000명의 군대를 2,000명과 1,000명으로 나누고 1,000명은 요나단에게 기브아에서 지휘하게 했습니다. 전쟁은 요나단이 블레셋 수비대를 선제공격함으로 시작되었습니다(3절). 블레셋은 3만의 병거, 6천의 마병, 많은 군대와 함께 믹마스에 진을 쳤습니다. 이스라엘 군대는 두려움에 떨며 숨거나 도망쳤습니다. 암몬과의 전투에서 보여주셨던 하나님의 임재와 하나님의 개입이 보이지 않았습니다.

2. 사울의 불순종(13:8-15)

사울에게 하나님의 신이 임재하지 않으셨고 사울은 여호와께 부르짖지 않았습니다. 하나님이 돕지 않으시면 이스라엘 군대는 패배할 수밖에 없습니다.

이스라엘 군대가 이탈하기 시작하자, 사울은 하나님께 제사를 드림으로 사람들의 관심을 끌고자 했습니다. 사무엘을 기다려야 했지만, 사울은 순종하지 못하고 제사를 드릴 수 없는 왕이 제사를 드렸습니다.

"왕이 망령되이 행하였도다. 하나님의 명령을 지키지 아니하였도다"

거룩한 전쟁에서 왕은 반드시 선지자에게 묻고 하나님의 인도하심을 받아야 했습니다. 사울 왕이 제사를 드린 것은 하나님을 이용하려는 자기 과시적 행위였습니다.

하나님은 자기 마음에 맞는 사람을 세우실 것을 말씀하셨습니다.

3. 이스라엘의 위기(13:15-23)

사무엘이 떠난 후에 3천 명의 군대는 600명만 남았습니다. 블레셋은 철로 만든 최신 무기로 무장했지만, 이스라엘은 사울과 요나단만 칼을 갖고 있었을 뿐입니다. 하나님이 돕지 않으시면 전멸할 수밖에 없습니다.

성경 공부

문제❶ 사울 왕이 범한 죄는? (13:8~9)

문제❷ 범죄 한 사울이 내세운 핑계는 어떤 것입니까? (13:11)

문제❸ 하나님께서 사울 왕과의 언약을 파기하게 된 죄목은? (13:13)

문제❹ 하나님이 다시 세우실 지도자는 어떤 사람입니까? (13:14)

문제❺ 이스라엘이 무기를 갖추지 못한 배경은? (13:19~22)

오늘의 묵상

사무엘을 통해 왕정 시대에 왕이 따라야 할 법을 주셨지만, 사울은 어기기 시작합니다. 하나님 말씀을 버리는 것은 하나님에게 버림받는 것입니다.
사울은 하나님 말씀을 가볍게 여기고 하나님과의 언약을 지키는 일에 실패한 왕이 되었습니다.

오늘의 적용

내 삶의 방식이 하나님 말씀을 따르고 있다고 생각하십니까?

오늘의 기도

하나님 뜻을 가볍게 여기지 않고, 가장 우선순위에 놓겠습니다.

사·무·엘·상

14장

본문 소개

이스라엘과 블레셋 전쟁은 군사의 숫자와 무기를 비교할 때 이미 패배한 전쟁이었습니다. 그러나 하나님께서 이 전쟁에 함께 하셨고 하나님이 승리를 주셨습니다. "여호와께서 그날에 이스라엘을 구원하시므로"(14:6, 15, 23, 45). 여호와께서 이스라엘을 위해 싸우시도록 문을 연 사람은 요나단이었습니다.

1. 요나단의 도전(14:1-15)

요나단이 몰래 무기 든 소년과 빠져나가 블레셋 진영으로 갔습니다. 요나단의 전략은 단순했습니다. '전쟁은 하나님께 있다. 블레셋 사람들이 우리에게 오라고 하면 여호와께서 블레셋 사람을 넘겨주신 줄 알고 올라간다'라는 작전이었습니다(6, 10, 12절). 요나단이 움직이자, 하나님도 움직이셨습니다. 요나단이 블레셋 군대 20여 명을 죽이자, 하나님도 공포와 지진으로 블레셋을 치셨습니다(15절).

2. 사울의 잃어버린 기회(14:16-23)

블레셋 진영에서 일어난 대혼란에 대해 보고 받고도 사울은 곧바로 진격하지 않았습니다. 하나님을 의지하려는 듯이 법궤를 가져오라고 지시했습니다. 그러나 제사장이 준비하는 동안 갑자기 중지시키고 전쟁터로 갔습니다. 사울이 전쟁터에 도착했을 때는 이미 전쟁이 끝나는 때였습니다. 블레셋 사람들이 큰 두려움에 빠져 서로 죽이고 있었습니다. 하나님께서 이스라엘을 구원하셨으며(23절) 요나단의 믿음이 하나님 승리를 가져왔습니다.

3. 사울의 어리석음(14:24-46)

사울은 이해할 수 없는 금식 명령을 내립니다. "내가 내 원수에게 보복할 때까지" 개인감정에 빠져 어리석은 명령을 내림으로 백성들만 고통을 당해야 했습니다. 하나님이 주신 전쟁 승리를 사울이 망치고 있었습니다. 금식 명령을 듣지 못했던 요나단이 꿀을 먹었다가 처형당할 위기에서 백성들에 의해 구원되고(45절), 백성들은 급히 짐승을 잡아 피를 먹다가 율법을 어기고 말았습니다(33절). 반복된 실수로 사울은 왕으로서의 권위를 다 잃어버리고 말았습니다.

4. 사울의 업적(14:47-52)

하나님이 사울과 함께 하시는 동안 그를 통해 이스라엘의 평화를 주셨습니다. 그러나 이제 사울의 통치가 끝난 것처럼 사울 집안을 소개하고 있습니다. 사울은 왕이었지만 더 이상 왕이 아니었습니다.

성경 공부

문제❶ 전쟁을 앞둔 요나단의 믿음의 고백은? (14:6)

문제❷ 무명 병사의 믿음의 고백을 적어 보십시오. (14:7)

문제❸ 요나단의 믿음의 고백을 적어 보십시오. (14:10) (8절~12절 참조)

문제❹ 사울 왕의 잘못된 행동을 적어 보십시오. (14:24)

문제❺ 하나님은 사울과 요나단 사이에서 누구의 의를 인정해 주십니까?
(14:41~42) (38절~45절 참조)

오늘의 묵상

아버지 사울 왕과 달리 요나단은 하나님을 경외하는 믿음의 태도를 보여줍니다. 하나님은 요나단에게 승리를 주십니다.
사울은 점점 영적으로 어두워지고 심지어 전쟁 중임에도 왕으로 어리석은 명령을 내립니다. 하나님은 왕으로서 그의 시간이 끝나감을 보여주십니다.

오늘의 적용

하나님이 지금의 내 모습을 보신다면 나의 의로움을 인정해 주실까요?

오늘의 기도

항상 하나님 말씀과 편에 서서 살겠습니다.

사·무·엘·상

15장

본문 소개

사울은 13장(13~14절)에서 “왕의 나라가 길지 못할 것이라”라는 말씀으로 버림받았습니다. 14장에서는 백성들의 신뢰와 존경을 잃어버렸습니다. 15장에서 “왕을 버려 왕이 되지 못하게 하셨나이다”라는 사무엘의 경고로 다시 하나님께 버림을 받았습니다. 사울의 몰락과 사울 왕국의 쇠퇴가 느리지만 진행되고 있습니다. 사울은 하나님께 또다시 불순종의 죄를 지었습니다. 사울은 시내 산 언약을 잊었습니다.

1. 아말렉과의 전쟁(15:1-9)

사무엘이 사울에게 ‘아말렉을 진멸하라’는 하나님 명령을 전했습니다. 아말렉 족속은 출애굽한 이스라엘을 처음 공격한 민족이었습니다(출 17:8-16).

“아말렉을 진멸하라”는 하나님의 명령이 사울이 버림받는 명령이 되고 말았습니다. 사울은 21만 명의 군대를 거느리고 아멜렉을 진멸합니다. 아말렉을 치기 전에 먼저 겐 사람을 피신시킵니다. 아말렉은 과거의 죄 때문에 멸망 당하고, 겐 사람은 과거의 친절 때문에 구원을 얻었습니다. 사울 왕은 모든 소유를 진멸하라는 하나님의 명령을 어기고 불순종했습니다(3, 9절).

2. 사울의 불순종(15:10-23)

사울은 승리를 기념하여 갈멜에 기념비를 세우고 길갈로 돌아갔습니다. 하나님께서 사무엘에게 "내가 사울을 왕으로 세운 것을 후회하노라"라고 말씀하셨습니다. 사울을 찾아간 사무엘이 짐승 소리에 대해 묻자, 사울이 변명합니다. 자신이 한 일이 아니라 백성들이 했으며, 하나님을 제사하기 위해 가장 좋은 것을 남겼다고 거짓말합니다.

사울의 죄에 대해 사무엘이 책망했습니다.

❶ 하나님의 목소리를 청종하지 않았다(19절).

❷ 순종이 제사보다 낫고, 듣는 것이 숫양의 기름보다 낫다(22절).

❸ 불순종은 우상 숭배의 죄와 같다(23절).

사울이 하나님 말씀을 버리자, 하나님께서도 사울을 버리셨습니다. 시내 산 언약은 하나님 말씀에 대한 순종을 요구합니다.

3. 사울의 체면(15:24-33)

사울은 자신을 변명하며 백성들 앞에서 체면을 세워주기를 간청하다가 사무엘의 옷을 찢게 됩니다. 찢어진 옷처럼 사울은 자신의 왕국을 잃게 되었습니다.

사무엘이 아말렉 왕 아각을 처형하고 다시는 사울을 보지 않았습니다. 하나님도 사울을 왕으로 세우신 것을 후회하셨습니다.

성경 공부

문제❶ 아말렉과의 전쟁에서 구원받은 족속은? (15:6)

문제❷ 사로잡은 아말렉 왕의 이름은? (15:8)

문제❸ 사울은 전쟁에서 이겼지만, 그가 진멸한 것을 어떻게 평합니까? (15:9)

문제❹ 사울이 여호와의 말씀을 버린 대가로 받게 된 심판은? (15:26)

문제❺ 사무엘이 죽을 때까지 사울을 보지 않은 이유는? (15:35)

오늘의 묵상

사울이 아말렉과의 전쟁에서 겉으로는 승리한 것처럼 보이지만, 실상은 패배였습니다. 하나님의 명령을 온전히 따르지 않았기 때문입니다. 이 전쟁은 사울이 하나님께 완전히 버림받는 계기가 됩니다.

사울이 하나님께 보여 드려야 할 것은 변명과 핑계가 아니라 하나님 말씀을 거역한 것을 회개하는 것입니다.

오늘의 적용

하나님께서 지금 내게 원하시는 것이 있다면?

오늘의 기도

하나님 말씀을 기준 삼고 사소한 것이라도 말씀 원리를 따르겠습니다.

사·무·엘·상

16장

본문 소개

하나님은 사울에게 왕위를 빼앗아 '이웃'에게 주시겠다고 말씀하셨습니다(13:14, 15:28). 그 이웃은 사울의 사위가 될 다윗이었습니다. 엘리와 두 아들이 버림받고 사무엘이 등장한 것처럼 사울이 버림받고 다윗이 등장합니다. 한 국가의 왕은 한 사람이지만 하나님께서는 한 나라에 두 왕이 있게 하셨습니다. 사울과 다윗은 그리스도인 내면에 존재하는 옛사람과 새 사람, 두 자아의 충돌과 갈등과 속성을 그대로 보여주었습니다.

1. 이새의 아들들(16:1-13)

하나님은 자신의 마음에 합한 사람을 준비하셨습니다. 하나님은 계획하신 일을 위해 사무엘을 베들레헴 이새의 집으로 보내셨습니다.

하나님은 사무엘의 신변 안전을 위해 제사를 드리러 가는 것처럼 위장하라고 하셨습니다. 베들레헴 장로들은 사무엘의 초대를 받고 이새의 집에서 새로운 왕을 세우는 증인이 됩니다.

첫아들 엘리압의 외모는 "과연 여호와의 기름 부으실 자가 앞에 있도다"라고 감탄할 정도였지만, 하나님은 외모를 보시지 않고 중심을 보고 계셨습니다(7절). 일곱 아들 중에 하나님이 택하신 사람은 없었습니다. 사무엘에게 자신을 보이기 위해 와 있는 형들에게 밀려 들판에서 양을 치던 막내 다윗을 찾아 기름 부어 왕을 세웠습니다.

다윗은 눈이 빼어나고 얼굴이 아름다웠습니다. 여호와의 신이 다윗이 기름 부음 받은 날부터 크게 임하였습니다(13절).

2. 음악 치료사 다윗(16:14-23)

목동에서 기름 부음을 받은 다윗은 이제 이스라엘 정치 무대로 진입하게 됩니다. 하나님은 다윗의 하프를 도구로 왕실에 들어갈 기회를 주셨습니다.

하나님의 신이 다윗에게 임하고 사울은 악신에 시달렸습니다. 신하들이 사울에게 음악 치료를 권유하고 다윗을 추천했습니다. 하나님이 다윗을 선택한 것처럼 사울도 다윗을 택했습니다.

다윗은 "수금을 잘 연주하고, 용기와 무용과 구변이 뛰어난 전사요, 지혜롭고 잘생기고, 하나님이 함께하는 사람"으로 소개되었습니다(18절).

양치는 목자 다윗(19절)은 사울의 왕궁에 선발되어 사울의 무기 드는 자가 되고(21절), 사울이 고통스러워할 때마다 음악 치료사가 되어 사울을 상쾌하게 해주었습니다. 다윗은 왕으로 기름 부으심을 받고 버림받은 왕을 섬기는 신하가 되었습니다.

성경 공부

문제❶ 사무엘이 사울의 눈을 피해 베들레헴으로 갔던 방법은? (16:2~3)

문제❷ 외모를 중시하는 사람들과 달리 여호와께서는 무엇을 보십니까? (16:7)

문제❸ 사무엘 앞에 선 다윗은 어떤 모습이었습니까? (16:12)

문제❹ 수금을 타기 위해, 사울 앞에 온 다윗을 어떻게 표현합니까? (16:18)

문제❺ 사울은 다윗을 크게 사랑하여 어떤 직분을 내립니까? (16:21)

오늘의 묵상

하나님은 사울을 대신할 왕으로 다윗에게 기름 부음을 받게 하십니다. 다윗의 삶은 하나님의 영에 크게 감동됩니다. 다윗은 하프를 켜는 재능으로 왕궁에 들어갑니다. 사울도 다윗을 사랑하게 됩니다.

오늘의 적용

지금 내 삶을 하나님의 영이 감동하실 수 있습니까?

오늘의 기도

성령님께서 제 삶을 다스리시도록 항복합니다.

사·무·엘·상

17장

본문 소개

블레셋 골리앗은 사울과 다윗의 하나님 신앙을 대조시켜 보여주는 계기가 되었습니다. 하나님께 버림받고 하나님이 부리시는 악신(16:14)에 시달리던 사울은 골리앗 앞에서 무기력한 왕으로 드러났습니다. 사울과 다윗 두 왕이 서 있습니다. 골리앗의 등장은 누가 이스라엘의 왕인가를 보여주는 무대였습니다.

1. 블레셋과 이스라엘(17:1-11)

블레셋이 다시 전쟁을 일으키고 엘라 골짜기 전투가 시작되었습니다. 블레셋 골리앗은 키가 2.7m, 갑옷 무게가 56kg, 최신 무기를 갖추고 이스라엘을 위협했습니다. 골리앗은 "너희는 한 사람을 선택하여 내게로 내려보내라" 큰 키와 견고한 갑옷, 금속으로 된 끝부분만 6.7kg이나 되는 창을 갖춘 골리앗은 위협적이고 두려운 존재였습니다.

2. 다윗과 형들(17:12-30)

16장에서 목동과 음악 치료사로 소개된 다윗이 17장에서 뛰어난 군사로 소개되었습니다.

이새는 장성한 세 아들을 전쟁터로 보내고 다윗에게 식량 심부름을 보냈습니다. 전쟁터에서 골리앗을 본 다윗은 "이 할례 받지 아니한 블레셋 사람이 누구이기에 살아계신 하나님의 군대를 모욕하겠느냐?" 하나님의 관점에서 이 문제를 바라보았습니다.

3. 다윗과 사울(17:31-40)

사울이 약속한 포상을 확인한 다윗은 사울에게 허락을 구합니다. "사자와 곰에게서 나를 구원하신 여호와가 하나님의 군대를 모욕한 할례 받지 못한 골리앗으로부터 내게 승리를 주실 것입니다"(34~37절). 다윗은 사울의 갑옷과 칼을 거부하고 자신이 광야에서 양 떼를 지킬 때 사용했던 물매와 돌을 들고 골리앗을 향해 나아갔습니다.

4. 다윗과 골리앗(17:41-54)

"외모와 중심"이 계속 대조되었습니다. 블레셋 최고의 장군과 어린 목동의 대결. "여호와의 구원이 칼과 창에 있지 아니함을 이 무리로 알게 하리라. 전쟁은 여호와께 속한 것인즉 그가 너희를 우리 손에 넘기시리라"(47절). 다윗은 여호와가 구원자이심을 보여주었습니다.

5. 이스라엘의 큰 승리(17:55-58)

골리앗이 쓰러지자, 이스라엘이 블레셋을 쳐서 큰 승리를 거두고 사울은 다윗이 누구인지 다시 확인합니다. 골리앗의 머리를 손에 들고 다윗이 사울 앞에 섰습니다. 누가 참된 이스라엘 왕인지 보여주었습니다.

성경 공부

문제❶ 블레셋을 대표하는 적장은 누구입니까? (17:4)

문제❷ 이새의 아들은 모두 몇 명입니까? (17:12)

문제❸ 이새의 아들 중 전쟁에 나간 아들의 이름은? (17:13)

문제❹ 다윗에게 노를 발한 형의 이름은? (그리고 그 이유는? (17:28)

문제❺ 다윗이 골리앗을 향해 하나님을 어떤 분이라고 선포합니까? (17:45)

오늘의 묵상

이스라엘과 블레셋의 전쟁은 아무것도 할 수 없는 무기력한 사울 왕의 모습과 달리, 왕으로 기름 부음 받은 믿음의 사람 다윗을 하나님께서 역사 속에 등장시키십니다. 다윗의 승리 비결은 철저하게 하나님을 경외하는 신앙 자세와 전능하신 하나님을 신뢰하는 믿음이었습니다.

오늘의 적용

모든 것에 하나님 중심으로 행하고 있습니까?

오늘의 기도

하나님 이름으로 세상을 향해 당당하게 나아가고 승리하게 하옵소서.

사·무·엘·상

18장

본문 소개

다윗과 사울의 대결을 긴장감 있게 전개하며 설명하고 있습니다. 18장은 다윗을 중심으로 하여 사울과 요나단, 미갈 이야기가 펼쳐지면서 사람들 마음이 다윗에게 향하고 있었습니다. 다윗이 골리앗을 죽인 후에 영적으로 침체했던 요나단의 마음이 다윗과 연결되고, 미갈과 백성들의 마음이 다윗에게로 집중되고 있습니다.

1. 다윗과 요나단(18:1-5)

침체했던 요나단의 마음이 살아났습니다. 다윗을 자기 생명처럼 사랑했고(1, 3절), 요나단은 다윗에게 가장 좋은 것을 다 주었습니다. '겉옷, 군복, 칼, 활, 띠' 다윗이 진정한 왕임을 인정하는 선물이었습니다. 요나단의 믿음과 용기가 다윗과 닮았습니다(14:6, 17:47).

다윗은 가는 곳마다 지혜롭게 행하므로 사랑을 받았습니다.

2. 다윗과 사울(18:6-9)

여인들의 노래는 사울보다 다윗을 열 배나 뛰어난 용사로 찬양하고 있었습니다. 여인들의 노래에 사울은 사무엘의 예언을 생각했을지도 모릅니다. "더 나은 이웃에게 주리라" 그날부터 사울은 다윗의 대적이 되었습니다.

3. 다윗과 백성들(18:10-16)

하나님은 사울을 떠나시고 다윗과 함께 계셨습니다. 사울은 다윗을 두려워하고 질투하며 다윗을 죽이려 합니다. "내가 다윗을 벽에 박으리라" 사울이 던진 창을 두 번이나 피했습니다. 사울은 다윗을 천부장으로 세워 전쟁터로 보냈지만, 전쟁마다 큰 승리를 거두면서 백성들의 사랑을 받았습니다. 하나님이 다윗과 함께 계셨기 때문입니다(12, 14절).

4. 다윗과 미갈(18:17-29)

다윗을 죽이려던 천부장 계략이 실패하자 사울은 자신의 정치적 목적을 위해 자식마저 도구로 사용했습니다. 미갈이 다윗을 사랑하자 미갈과의 결혼을 이용하여 다시 다윗을 죽이려 했지만, 사울은 결국 다윗을 사위로 받아들이게 됩니다. 사울은 하나님이 다윗과 함께 계심을 다시 보았고 평생 다윗의 대적이 되었습니다.

5. 다윗과 블레셋 사람들(18:30)

다윗은 블레셋도 인정하는 진정한 영웅이었습니다. 사울이 다윗을 죽이려 할수록 다윗은 백성들에게 더 사랑을 받았으며 어디를 가든지 하나님이 함께 하시는 사람으로 인정되었습니다.

성경 공부

문제❶ 요나단은 다윗을 어떻게 사랑했습니까? (18:1)

문제❷ 사울이 다윗을 군대 장관으로 삼은 이유는? (18:5)

문제❸ 백성들이 사울 왕과 다윗을 향해 부른 노래의 내용은? (18:7)

문제❹ 사울이 다윗을 두려워 한두 가지 이유는? (18:12, 15)

문제❺ 다윗의 아내로 주기로 한 사울 왕의 딸 이름은? (18:17)

오늘의 묵상

다윗에 대한 사울의 경쟁의식이 깊어집니다. 요나단은 다윗을 사랑했고 다윗으로 인해 영적 침체를 극복해 나갑니다.
사울은 다윗을 위기로 몰아 놓지만, 하나님은 그 상황도 이기게 하십니다. 주위의 사람들과 백성들의 마음이 더욱 다윗을 향하고, 사울은 다윗을 사위로 맞아들입니다.

오늘의 적용

인간적인 경쟁의식 때문에 하나님 뜻을 거스른 적은 없습니까?

오늘의 기도

하나님의 뜻과 계획 앞에 겸손하고 순종하도록 하겠습니다.

사·무·엘·상

19장

본문 소개

하나님이 함께 하시는 사람, 지혜로운 사람, 사랑받는 사람 다윗. 다윗에 대한 사울의 두려움과 질투와 증오심은 점점 커졌습니다. 은밀하게 다윗을 죽이려고 했던 사울은 이제 공개적으로 다윗을 제거하려고 합니다. 다윗은 사울의 왕궁에서 떠나 도피의 길을 떠났습니다(19~20장). 하나님께 버림받은 사울을 피해 다윗은 19장에서 네 차례 도피하고 있습니다. 사울이 죽을 때까지 다윗의 도피는 계속되었습니다.

1. 첫 번째 도피(19:1-7)

사울이 요나단과 신하들에게 다윗을 죽이라 명령하자 요나단이 다윗을 피신시킵니다. 요나단은 아버지 사울 앞에서 다윗을 변호했습니다. 다윗의 업적과 의로움에 대해 변호하여 "그가 죽임을 당하지 아니하리라" 맹세하게 만든 후, 다윗이 궁으로 돌아올 수 있도록 중재했습니다.

2. 두 번째 도피(19:8-10)

다윗이 전쟁에서 큰 승리를 거두고 돌아오자, 하나님이 부리시는 악신이 사울을 괴롭히고 다시 다윗을 향해 단창을 던졌습니다. 질투와 시기심은 악한 영의 출입문 역할을 합니다. 다윗은 그 밤에 도피했습니다. 다윗이 할 수 있는 일은 사울을 피하는 것뿐이었습니다.

3. 세 번째 도피(19:11-17)

도피한 다윗을 추격하여 아침에 다윗을 죽이려 암살단을 보냈습니다. 사울은 자식들에게마저 버림받은 초라한 사람이 되었습니다. 아들 요나단은 사울이 내렸던 다윗 살해 명령을 취소시켰고 이제 딸 미갈이 사울이 보낸 전령들을 속이고 다윗을 도피시켰습니다.

하나님이 버리신 사람은 사람들에게도 버림을 받습니다. 다윗은 사울의 자식들에게 친절과 도움을 받았습니다.

4. 네 번째 도피(19:18-24)

다윗은 피난하여 사무엘에게 가서 살았습니다. 사울이 그 사실을 알고 체포조를 세 차례나 보냈으나 하나님 영의 간섭으로 실패하고 말았습니다.

사울은 이제 다윗과 싸우는 것이 아니라 하나님을 대항하고 있었습니다. 사울은 직접 자신이 다윗을 잡으러 나섰습니다. 하나님의 영에 사로잡힌 사울은 사무엘 앞에서 벗은 몸으로 예언하는 수치를 당했습니다. 사울은 처음 왕으로 세워질 때 예언(10:9~10)했다가 이제 버림받고 예언하고 있습니다.

성경 공부

문제❶ 사울이 아들 요나단과 신하들 앞에서 한 말은? (19:1)

문제❷ 사울의 계략을 안 미갈이 다윗을 어떻게 피신시킵니까? (19:12)

문제❸ 다윗이 사울을 피해 사무엘을 만나기 위해 어디로 갔습니까? (19:18)

문제❹ 사울이 다윗을 잡기 위해 전령들을 몇 차례 보냈습니까? (19:21)

문제❺ 사울이 벗은 몸으로 행동한 사건으로 알려진 속담은? (19:24)

오늘의 묵상

다윗이 하나님께 사랑받고 사람들에게 인정받을수록 사울의 두려움과 질투는 심해졌습니다. 이제는 공개적으로 다윗을 제거하려 하지만 딸 '미갈'도 다윗의 피난을 도왔습니다. 다윗이 사울을 피해 선지자 사무엘에게 가 있음을 들은 사울은 그곳까지 쫓았습니다. 다윗의 도피는 사울이 죽을 때까지 계속되었습니다.

오늘의 적용

하나님 뜻을 알면서도 욕심으로 인해 포기하지 못하는 것이 있습니까?

오늘의 기도

하나님 뜻을 겸손하게 받아들이는 마음을 주옵소서.

사·무·엘·상

20장

본문 소개

20장 사건은 다윗이 아내 미갈의 도움을 받아 도피하기 전에 일어난 일로 추정합니다. 다윗은 초하룻날이 되면 사울과 함께 식사하는 것을 전제로 20장 사건이 일어나기 때문입니다. 19장에서 네 번이나 도피한 다윗이 초하룻날 사울 앞에 다시 나타날 수는 없습니다. 순서를 바꿔 기록한 이유는 다윗에 대한 요나단의 우정과 하나님께 대한 언약을 강조하기 위함이었습니다. 하나님은 고난 당할 즈음에 피할 길을 주시는 분이십니다.

1. 요나단의 계획(20:1-11)

다윗은 크게 위기감을 느끼고 요나단에게 진심을 털어놓습니다. '사울이 왜 자기를 죽이려 하는지, 자신이 무엇을 잘못했는지, 죽어야 할 죄가 있으면 네가 나를 죽여라, 나와 죽음은 한 걸음뿐이니라'(1, 3, 8절) 말했습니다.

요나단과 다윗은 사울의 진심을 알아내기 위해 한 가지 계획을 세웠습니다. 매월 초하루가 되면 왕이 신하와 그 가족과 제물을 드리며 식사하는 관례가 있었는데, 그것을 통해 사울의 반응을 확인하자는 제안을 합니다. 요나단은 다윗을 위해 밀고자로 자원했습니다.

2. 요나단의 정보(20:12-23)

요나단은 다윗을 왕으로 인정하고 다윗과 언약을 맺었으며(16절), 다윗을 자기 생명처럼 사랑했습니다(17절). 요나단은 다윗에게 왕이 되거든 여호와의 인자를 자기와 자기 집에 베풀어주기를 부탁하며 요나단과 다윗이 맺은 언약을 기억해달라고 요청합니다(14~15절). 요나단은 다윗에게 일어나고 있는 모든 상황에 대한 영적 통찰력을 갖고 다윗이 하나님을 의지하도록 확증시켰습니다. 초하루 식사를 통해 하나님의 섭리를 확인한 후에 화살 쏘는 것을 통해 다윗이 해야 할 일을 알게 하겠다고 약속했습니다.

3. 사울의 진심(20:24-34)

초하루 식사를 통해 요나단은 아버지 사울의 진심을 확인했습니다. 사울은 요나단에게 왕위를 물려주고 싶어 했지만, 요나단이 다윗을 왕으로 인정하고 있는 것에 대해 사울이 분노하고 있었습니다.

4. 다윗의 도피(20:35-42)

요나단은 다윗과 약속한 대로 화살을 쏘아 신호를 보낸 후 요나단은 다윗을 만나 마지막 작별의 인사를 나눴습니다. 서로의 언약을 확인하고 다윗은 사울 왕궁을 떠나 도피자로 살아가게 됩니다.

성경 공부

문제❶ 다윗이 요나단에게 무엇을 말합니까? (20:3)

문제❷ 요나단이 다윗에게 숨어 있으라고 한 바위의 이름은? (20:19)

문제❸ 요나단이 다윗과 주고받은 신호는? (20:22)

문제❹ 요나단이 다윗을 두둔하자 사울은 어떤 행동을 했습니까? (20:33)

문제❺ 사울을 피해 떠나는 다윗과 요나단 사이의 언약은? (20:42)

오늘의 묵상

사울 왕은 아들 요나단이 자기를 이어 왕이 되길 원했습니다. 그러나 요나단은 하나님께서 이스라엘 왕으로 다윗에게 기름 부으셨음을 알고 있었고 다윗이 왕으로서 부족함이 없음을 인정했습니다. 도리어 왕이 된 후 자기와 가문에 은혜 베풀길 바랐습니다. 요나단은 다윗에 대한 아버지 사울 왕의 진심을 알고 다윗을 살리기 위해 진심으로 돕습니다.

오늘의 적용

믿음의 동역자가 있다면 그를 세워주기 위해 무엇을 하겠습니까?

오늘의 기도

요나단과 같은 믿음의 좋은 동역자가 되겠습니다.

사·무·엘·상

21장

본문 소개

다윗은 사울에게서 도피하여 광야와 주변 국가로 떠나 난민처럼 도피자로 살게 됩니다. 다윗의 광야가 시작되었습니다. 광야 연단을 통해 하나님 마음에 합한 사람으로 성숙해질 수 있었습니다. 하나님의 사람은 고난에서 만들어지고 고난을 통해 준비됩니다. 다윗은 사울의 추격을 피해 놉 땅에 거주하는 제사장을 만나 진설 병을 먹고 골리앗의 칼을 얻은 후에 서둘러 '가드' 땅으로 도망갔다가 위기에 처하기도 합니다.

1. 놉 제사장을 만나다(21:1-9)

다윗이 처음 도피한 곳은 '놉'이었습니다. 실로 성막이 파괴된 후 놉이 이스라엘 종교 중심지였습니다. 다윗은 제사장 아히멜렉에게 거짓말로 도움을 요청합니다. 아히멜렉이 사울의 제사장 아히야의 형제였기에 조심스러웠을 것입니다. 다윗은 아히멜렉에게서 진설 병 떡과 골리앗의 칼을 얻어 다시 길을 떠났습니다.

다윗이 제사장들이 먹는 진설 병 떡을 먹은 것에 대해 예수님께서도 설명하셨습니다(막 2:23~26). 진설 병은 '먹을 것을 주시는 하나님'을 상징하고, 골리앗의 칼은 '하나님의 승리와 보호'를 상징했습니다. 다윗의 도피 생활 중에 하나님이 그의 보호자가 되시고 공급자가 되실 것을 예표로 보여주셨습니다.

2. 가드로 도피하다(21:10-15)

다윗이 아히멜렉을 만났을 때 그곳에 사울의 신하 도엑이 있었습니다(7절). 도엑을 보고 다윗은 사울을 두려워하여 멀리 도망칠 곳을 찾다가 블레셋 가드 왕 '아기스'에게로 갔습니다. 다윗이 골리앗의 칼을 들고 블레셋 땅으로 갔을 때 블레셋 사람들이 두려워했습니다.

블레셋 사람들은 다윗을 "그 땅의 왕"으로 불렀습니다(11절). 이스라엘의 원수였던 블레셋 사람들이 다윗을 왕으로 먼저 인정하며 골리앗을 죽인 다윗에 대해 노골적으로 적대감을 드러내었습니다. 골리앗은 블레셋 가드 출신이었습니다.

사울을 두려워하여 가드로 피했던 다윗은 이제 아기스가 두려워 미친 사람 행세를 합니다.

가드 왕 아기스와 신하들은 골리앗의 칼을 든 '그 땅의 왕' 다윗이 미친 행동을 조롱하며 무시했습니다.

성경 공부

문제❶ 놉 땅으로 가서 다윗은 제사장 누구를 만납니까? (21:1)

문제❷ 제사장이 다윗에게 준 떡에 대해 써보십시오. (21:6)

문제❸ 아히멜렉 제사장과 있던 사울의 목자 장은? (21:7)

문제❹ 놉 땅을 떠나며 아히멜렉 제사장에게서 받은 것은? (21:9)

문제❺ 다윗이 놉에서 가드로 피신합니다. 가드 왕의 이름은? (21:10)

오늘의 묵상

다윗은 놉 땅으로 건너가 제사장 아히멜렉을 만나 제사장이 먹는 음식인 진설 병을 먹습니다. 그리고 이곳에서 과거 자기가 죽인 골리앗의 전리품인 칼도 얻게 됩니다.

다시 놉을 떠나 가드로 피신한 다윗은 그 땅 백성과의 악연 때문에 미친 사람 행세를 합니다.

오늘의 적용

광야와 같았던(혹은 같은) 삶이 주었던(혹은 주는) 교훈을 써보십시오.

오늘의 기도

고난 중에도 하나님의 선하신 뜻을 잊지 않겠습니다.

사·무·엘·상

22장

본문 소개

다윗의 도피 생활이 강한 영성을 만들었고, 고난 속에서도 다윗을 위한 하나님의 섭리는 계속되었습니다. 사울은 다윗의 도피를 도왔던 제사장 아히멜렉과 그 가족을 무참하게 살해했습니다. 사울의 영적 무지는 그로 악행도 주저하지 않게 했습니다.

다윗은 사울의 사람 '도엑'으로 인해 이런 일이 생길 것을 염려했음을 말하며 아히멜렉 사건을 자기의 잘못으로 돌립니다.

1. 다윗의 임시 정부(22:1-5)

가드와 베들레헴 중간 지대에 있는 아둘람 굴(막혀 있는 곳)로 도망하자, 가족과 환난 당한 자, 빚진 자, 원통한 자 등 400여 명이 다윗에게 모였습니다. 이들은 이후 다윗의 임시 정부 같은 역할을 하게 됩니다. 다윗은 가족을 조모 룻의 고국 모압 왕에게 부탁합니다. 모압에서 지내는 동안 선지자 갓이 찾아와 유다 땅으로 들어갈 것을 지시했습니다. 하나님은 다윗을 인도하고 계셨습니다.

2. 사울이 제사장들을 살해함(22:6-23)

다윗이 다시 나타났다는 소식을 듣고 사울이 베냐민 사람들이 다윗을 제거하는 일에 자신을 돕지 않는 것에 대해 분노했습니다. 사울은 신하들과 아들 요나단에 대해 극단적 피해의식에 빠져 있었습니다.
그때 에돔 사람 도엑이 제사장 아히멜렉이 다윗에게 행한 일에 대해 고발했습니다. 사울이 아히멜렉을 불러 심문하자 그는 사실대로 말했습니다. "다윗은 충성된 사람이다. 다윗은 왕의 사위다. 다윗은 왕의 호위대장이다. 왕실에서 존귀한 자다."
그런 다윗이 도움을 요청할 때 거절할 수 없었으며 제사장들은 정치에 대해 아는 것이 없다고 정중하게 말했습니다.
사울은 아히멜렉의 변명을 듣지 않고 제사장들과 가족을 다 죽이라고 명령합니다. 호위병들이 주저하자 도엑에게 살해 명령을 내렸습니다. 그날 제사장 85명과 가족과 짐승들을 몰살했습니다.
아히멜렉은 엘리 제사장의 증손이었습니다. 엘리 제사장 가문에 대한 심판은 아직도 진행 중이었습니다(2:31-36).
엘리와 두 아들의 죽음, 놉 땅의 제사장 몰살 사건으로 사울 시대에 성막과 제사장은 모두 사라질 위기에 처했습니다.
에봇을 가지고 다윗에게 도망친 아히멜렉의 아들 아비아달은, 후에 다윗의 대제사장이 되어 다윗 왕국을 견고하게 했습니다.

성경 공부

문제❶ 다윗이 아둘람 굴에 피했을 때 찾아온 사람들은? (22:1~2)

문제❷ 아둘람 굴을 떠난 다윗이 갓 선지자의 말을 따라간 곳은? (22:5)

문제❸ 도엑이 다윗을 도운 아히멜렉을 어떻게 고발합니까? (22:10)

문제❹ 아히멜렉과 제사장들을 누가 몇 명이나 죽입니까? (22:18)

문제❺ 사울이 휘두르는 칼을 피해 다윗을 찾아온 아히멜렉의 아들은? (22:22)

오늘의 묵상

사울을 피해 아둘람 굴에 있던 다윗에게 가족들과 원통함을 가진 사람들이 모여들었습니다. 이 순간에도 사울은 다윗을 죽이지 못하는 상황에 대해 분노합니다. 도엑이 다윗을 도운 아히멜렉 제사장을 고발하고 사울은 그와 가문을 몰살할 것을 명령하지만, 신하들은 제사장 죽이는 것을 주저합니다. 이에 도엑이 제사장 85명과 가족과 가축까지 모두 죽였습니다.

이 일이 자기로 인해 벌어진 일이라고 다윗은 자책합니다.

오늘의 적용

사울과 다윗의 성품에서 얻는 교훈을 써보십시오.

오늘의 기도

주님, 온유하고 자신을 잘 돌아보는 마음을 주옵소서.

사·무·엘·상

23장

본문 소개

다윗이 아둘람 굴에서 머무는 동안 블레셋 군대가 그일라 지역 주민들을 약탈했습니다. 다윗은 이스라엘 왕으로서 그일라 백성을 보호하는 역할을 감당한 후에 사울의 추격을 피해 그일라를 떠나 십 광야와 마온 광야에서 도피 생활을 이어갔습니다. 사울이 매일 다윗을 찾았지만, 하나님께서 다윗을 사울에 손에 넘기지 않으셨습니다(14절). 요나단은 다윗을 찾아와 하나님을 힘 있게 의지할 것을 격려했습니다(17절).

1. 그일라에서(23:1-13)

그일라는 아둘람에서 5km 정도 떨어진 블레셋 국경 지역에 있었습니다. 지리적 위치로 인해 추수 때마다 블레셋에게 약탈당했습니다.
다윗이 하나님께 묻자, 하나님께서 다윗에게 그일라를 구원하라고 지시하셨습니다. 백성들이 반대하자 다윗은 한 번 더 하나님께 묻고 즉시 그일라를 블레셋 손에서 구원했습니다.
다윗의 첫 번째 전투는 큰 승리로 끝났습니다. 하나님의 뜻을 먼저 묻고 하나님께 순종하는 왕의 통치력을 보여주었습니다.
다윗의 소식을 들은 사울이 곧 추격해 왔습니다(7절). 다윗은 에봇을 들고 하나님께 물었습니다(9~12절). 사울이 추격해 올 건지, 그일라 사람들이 배신할 것인지에 대해 하나님께 묻고, 즉시 600명을 이끌고 그일라에서 갈 수 있는 데까지 도피했습니다.

2. 유다 광야에서(23:14-29)

사울의 추격에 다윗이 안전할 수 있었던 것은 하나님의 보호하심 때문이었습니다(14절).

❶ 다윗을 찾아온 요나단(23:14-18). 요나단이 소식을 듣고 다윗을 찾아와 하나님을 힘 있게 의지하도록 격려했습니다. 가장 힘든 시간에 요나단이 찾아와 하나님의 섭리에 대해 확신을 갖게 해주었습니다. "너는 이스라엘 왕이 될 것이다." 요나단은 다윗과 언약하고 헤어진 후 다시 만나지 못합니다.

❷ 십 광야와 마온 광야(23:19-29). 십 사람들이 자원하여 사울의 밀고자가 되었습니다(22~23절). 십 사람들이 다윗의 위치에 대해 보고하자 사울이 추격해 오고 마혼 황무지 계곡을 사이에 두고 다윗과 사울 군대가 대치하게 되었습니다. 때마침 블레셋 군대가 침략해 옴으로써 다윗은 사울의 손에서 벗어나게 됩니다.

하나님이 다윗을 사울의 손에 붙이지 않으셨습니다(14절).

성경 공부

문제❶ 블레셋 사람들이 추수한 것을 탈취해 간 지역은? (23:1)

문제❷ 다윗이 블레셋을 치기 전에 두 번 한 행동은? (23:2~5)

문제❸ 다윗을 찾아와 "두려워하지 말라"라고 위로한 친구는? (23:17)

문제❹ 다윗이 하길라에 있다는 것을 사울에게 고발한 사람은? (23:19)

문제❺ 사울이 다윗을 쫓다 멈추고 돌아간 장소를 무엇이라 불렀습니까? (23:28)

오늘의 묵상

다윗이 사울을 피해 도피하면서도 하나님께 묻고 순종하여 블레셋의 손에서 그일라 지역 주민들을 구합니다. 사울의 추적이 계속되어 그일라를 떠나 십 광야와 마온 광야로 도피합니다. 사울은 끈질기게 추적을 계속하지만, 하나님은 다윗을 사울에게 넘기지 않으셨습니다.
요나단은 힘든 상황에 있는 다윗을 찾아와 위로와 용기를 줍니다. "두려워하지 말라. 내 아버지 사울의 손이 네게 미치지 못할 것이요 너는 이스라엘 왕이 되고 나는 네 다음이 될 것을 내 아버지 사울도 안다 하니라"(17절).

오늘의 적용

나보다 더 힘든 시간을 보내는 지체를 위해 해야 할 일이 있다면?

오늘의 기도

하나님, 말로 누군가를 위로하는 학자의 혀를 주옵소서.

사·무·엘·상

24장

본문 소개

하나님 주권에 복종하는 사람들은 인간관계에서 보복과 복수를 하나님께 완전히 맡긴 사람들입니다. 원수 갚는 것은 하나님이 하시는 일이기 때문입니다(롬 12:19-20).

사울이 엔게디 광야에 숨어 있던 다윗을 추격하다가 다윗이 사울을 살려주는 사건이 일어났습니다. 26장에서 다윗은 사울을 한 번 더 살려줌으로써 하나님 권위를 두려워하는 믿음과 순종과 성숙한 인격을 보여주었습니다.

1. 사울의 추격(24:1-7)

블레셋 침략으로 다윗 추격을 중단했던 사울이 3천 명의 군대를 이끌고 다시 다윗을 뒤쫓았습니다. 다윗이 깊숙이 숨어 있던 염소 바위 동굴에 들어와 '발을 가리우던'(화장실을 가거나, 잠을 자거나) 사울의 옷자락을 가만히 베어냈습니다. 다윗의 부하들은 "원수를 갚으라"라고 했지만, 다윗은 "여호와의 기름 부음 받은 자를 치는 것은 하나님이 금하신 일"이라고 말하고 옷자락만 베었습니다.

사울을 처리하는 문제는 하나님이 해결하셔야 할 하나님의 일이었습니다. 다윗은 철저하게 자신이 해야 할 일과 하나님이 하실 일을 구분하고 하나님께 복종했습니다.

2. 다윗의 고백(24:8-15)

다윗은 사울에게 왕의 예의를 갖춘 후에 베어낸 옷자락을 보여주며 자신의 결백을 변증했습니다. 다윗은 변호사가 되어 자신을 변호하고 있었습니다.

❶ 사람들의 말처럼 다윗은 사울을 해하려는 사람이 아니다.

❷ 사울은 나를 죽이려 하지만 다윗은 죽일 마음이 없다.

❸ 내 손으로 해결하지 않고 하나님 심판을 의지하겠다.

❹ 재판장이신 하나님께서 다윗의 억울함을 풀어주실 것이다.

다윗은 철저하게 하나님께 대한 믿음으로 사울을 대했습니다.

3. 사울의 고백(24:16-22)

사울이 다윗 앞에서 울었습니다. 사울은 다윗의 행동과 미래에 대해 솔직히 고백했습니다.

❶ 나는 너를 학대하나 너는 나를 선대하니 네가 의로운 자다.

❷ 네가 나에게 행한 일을 하나님이 갚으시길 원한다.

❸ 네가 반드시 왕이 될 것이며 이스라엘을 견고하게 할 것이다.

사울은 자신이 여호와를 대적하고 있음을 시인하고 다윗에게 하나님의 복을 빌었습니다. 그리고 다윗에게 자비를 구했습니다.

성경 공부

문제❶ 사울이 다시 몇 명의 군사를 이끌고 다윗을 쫓았습니까? (24:1, 2)

문제❷ 부하들은 사울을 죽이라고 어떤 말로 다윗을 부추깁니까? (24:4)

문제❸ 다윗이 사울의 옷자락을 벤 것에 대해 어떤 고백을 합니까? (24:6)

문제❹ 자기를 죽이지 않은 다윗의 행동에 대한 사울의 고백은? (24:17)

문제❺ 사울은 잘못을 인정하며 다윗에게 어떤 맹세를 요청합니까? (24:20~22)

오늘의 묵상

다윗은 자기를 끊임없이 해하려 하는 사울에 관한 판단을 하나님께 맡겼습니다. 심지어 사울을 죽일 수 있는 기회에서도 그를 살려주었습니다. 도리어 사울의 옷자락을 벤 것을 후회했습니다.

다윗은 하나님이 세우신 권위를 두려워하는 믿음의 사람이었습니다. 그리고 순종과 성숙한 인격을 가진 사람이었습니다.

오늘의 적용

하나님께 맡겨야 할 판단과 결정들이 있습니까?

오늘의 기도

하나님 권위에 순종하겠습니다.

사·무·엘·상

25장

본문 소개

하나님 주권에 복종하는 또 다른 사건이 일어났습니다. 나발과 아비가일 이야기입니다. 다윗이 나발의 모욕적인 행동에 대해 보복하려다가 아비가일의 지혜로 인해 '원수 갚는 것(복수)을 하나님께 의탁'하게 됩니다. 나발의 아내 아비가일의 현명함으로 다윗은 큰 실수를 멈출 수 있었습니다.

"원수를 갚지 말며 동포를 원망하지 말며 네 이웃 사랑하기를 네 자신과 같이 사랑하라 나는 여호와이니라"(레 19:18).

1. 사무엘의 죽음(25:1)

사무엘이 죽자 온 이스라엘이 라마에서 장례를 치렀습니다. 다윗은 그 장례식에 참석했지만, 사울은 참석하지 않은 것 같습니다. 사울이 다윗이 왕임을 시인했습니다(24:20). 사무엘의 죽음이 언급된 것은 이제 다윗의 시대가 가까웠음을 보여주는 예표가 되었습니다.

2. 나발의 무례함(25:2-13)

나발(미련한 자)은 부자 중에 부자(2절)였고, 성품이 악한 자였으며(3절) 사울 지지자였습니다.

나발이 양털 깎는 동안 보호해 준 다윗은, 소년들을 보내어 자기와 함께 한 사람들에게 양식을 줄 것을 요청했고 이는 당시 관례였습니다. 나발은 다윗의 요구를 거절하는 것에서 지나쳐 다윗을 모욕했습니다. "주인에게 억지로 떠나는 종" "어디서 왔는지 알지도 못하는 자들". 다윗이 이 말을 듣고 모욕감에 "그가 악으로 선을 갚는도다"(21~22절)라며 분노했습니다.

3. 아비가일의 지혜(25:14-31)

하인 한 사람이 급히 아비가일에게 사태의 심각성을 보고합니다(14~17절). 나발이 다윗을 모욕하고 다윗이 베푼 선한 일에 대해 무시했다고 말했습니다. 나발은 불량한 사람(쓸모없는 인간)이었습니다(2:12, 10:26-27).

아비가일은 급히 음식을 준비하고(18절) 나발을 죽이기 위해 오는 다윗과 400명의 군대를 길에서 만났습니다(23절). 아비가일은 다윗에게 호소합니다(23~31절). 나발 같은 사람으로 인해 다윗 인생에 오점을 남기지 말 것을 요청했습니다(26절).

4. 다윗의 겸손(25:32-44)

"내가 피 흘릴 것과 친히 복수하는 것을 네가 막았느니라" 아비가일의 지혜를 칭찬하고 하나님을 찬송합니다. 다윗을 모욕한 나발을 하나님이 쳐서 죽이셨습니다(38절). 나발이 죽은 후 다윗은 지혜와 총명과 아름다움을 지닌 아비가일에게 청혼합니다.

성경 공부

문제❶ 다윗이 사무엘의 죽음을 슬퍼한 후 어디로 향합니까? (25:1)

문제❷ 다윗의 양식 지원 요청에 나발이 보여준 모욕적인 행동은? (25:9~11)

문제❸ 노한 다윗이 나발을 치기 위해 어떻게 무장하고 갑니까? (25:13)

문제❹ 사태 해결을 위해 아비가일이 준비한 것은 무엇입니까? (25:18)

문제❺ 다윗을 모욕한 나발이 어떤 대가를 치릅니까? (25:36~38)

오늘의 묵상

사무엘이 죽고 다윗 시대가 시작됩니다. 다윗은 자기와 함께 거하는 사람들을 위해 나발에게 양식을 나누어 주기를 요청합니다. 이는 다윗의 병사들이 나발의 재산을 지켜주었고 그 관례로 요청합니다. 그러나 나발은 거절을 지나쳐 다윗과 그의 사람들을 모욕했습니다.

다윗이 나발을 치려 했지만 나발의 지혜로운 아내 아비가일의 중재로 멈춥니다. 하나님께서 다윗의 손에 피 묻히는 것을 막으시고 친히 나발을 치십니다.

오늘의 적용

나의 어리석은 말로 다른 사람을 격동시키지는 않습니까? 언어생활을 점검해 보십시오.

오늘의 기도

제게 학자의 혀를 주셔서 주님을 드러내고 사람들을 세우게 하옵소서.

사·무·엘·상

26장

본문 소개

다윗은 아비가일과 아히노암, 두 유다 지파 여자와 결혼함으로써 헤브론 사람들의 공감을 얻었습니다. 아비가일은 다윗을 보복의 죄에서 막아주었으며, 유다 지파와의 관계를 견고하게 만들어주었습니다. 다윗은 26장에서 사울을 한 번 더 살려주었습니다. 하나님께 자신의 고난과 미래와 사람, 원수 갚는 것까지 맡길 때 하나님 마음에 합한 사람이 될 수 있습니다. 하나님께 거룩한 사람은 보복을 하나님께 맡길 수 있는 사람입니다.

1. 다윗을 추격하는 사울(26:1-12)

십 사람들이 다윗이 숨은 곳을 밀고하자 사울은 3천 명의 군대를 데리고 광야에 진을 쳤습니다. 다윗은 아비새와 함께 밤중에 사울의 진영으로 들어가 잠들어있는 사울을 보았습니다. "하나님이 오늘 당신의 원수를 당신의 손에 넘기셨나이다"라는 아비새의 말에도, 다윗은 "내 손으로 죽이지 않겠다. 여호와께서 치실 것이다"(10~11절)라고 말하며 사울 죽이는 것을 금하고 사울의 창과 물병만 가지고 나왔습니다.

2. 아브넬을 책망하다(26:13-16)

다윗이 산꼭대기에 올라가 아브넬의 이름을 불렀습니다. "누가 왕을 부르느냐?" 아브넬은 사울 정권의 실세로 왕처럼 행세했던 것으로 보입니다.

사울이 죽은 후에 아브넬이 사울 집안의 우두머리가 되어 다윗이 유다 왕으로 집권했던 7년 동안 다윗과 싸웠습니다.

다윗은 아브넬에게 하나님이 기름 부으신 왕을 보호하지 못한 무책임에 대해 마땅히 죽어야 할 죄로 책망했습니다.

3. 사울이 고백하다(26:17-25)

사울을 살려준 다윗의 행동에 대해 "너는 나보다 의롭도다"(24:17)라고 고백했던 사울이, 다시 다윗에게 "내가 범죄하였도다"(21절) 라고 말하며 자기 죄를 인정합니다.

다윗은 다시 자신의 무죄를 주장하면서 이렇게 말했습니다.

❶ 사울이 다윗을 추격하는 이유가 하나님 뜻이 아닌 사람의 계략이라면 하나님의 저주를 받을 것을 엄숙하게 경고했다(19절).

❷ 위의 행위는 다윗으로 하여금 하나님의 기업을 떠나 다른 나라에 거주하며 다른 신을 섬기게 하는 것이기 때문이다(19절).

❸ 다윗이 사울 왕의 생명을 귀중히 여긴 것같이, 하나님께서 자신의 생명을 귀히 여겨 모든 환난에서 구원해 주시길 고백했다(24절). 하나님은 사람이 행한 대로 갚으시는 분이십니다.

성경 공부

문제❶ 다윗을 죽이려고 사울이 군사 몇 명을 이끌고 찾아옵니까? (26:2)

문제❷ 다윗이 사울의 진영에 침입할 때 다윗을 따른 사람은? (26:6)

문제❸ 다윗이 아비새에게 어떤 이유로 사울을 죽이지 말라고 합니까? (26:9)

문제❹ 다윗은 사울을 죽이는 대신 어떤 행동을 했습니까? (26:12)

문제❺ 다윗은 자기를 죽이려는 사울에게 자신을 무엇에 비유합니까? (26:20)

오늘의 묵상

다윗이 사울을 두 번째 살려줍니다. 사울을 죽이려는 아비새에게 사울의 처분을 하나님께 맡깁니다. 다윗이 사람에게 충동 받아 자신을 죽이려는 행위를 멈추길 사울에게 요청하자 사울은 자기 죄를 인정합니다. 다윗이 사울의 생명을 중히 여긴 것처럼, 하나님께서 자기의 생명을 건져주실 것을 고백하자 사울이 돌아갑니다.

오늘의 적용

하나님께서 간섭하셔서 일하시길 바라는 것이 있습니까?

오늘의 기도

반복적으로 후회하는 잘못을 범하지 않겠습니다. 회개하고 돌아서겠습니다.

사·무·엘·상

27장

본문 소개

다윗은 다시 블레셋 땅으로 도피하여 블레셋 군대 용병이 될 계획을 세웠던 것으로 보입니다. 다윗은 이스라엘의 오랜 원수인 블레셋 땅으로 도피함으로 사울의 추격에서 벗어나고자 했습니다(4절). 다윗은 이제 지쳤습니다. 그러나 블레셋으로 도망하여 사울의 추격에서 벗어날 수 있었지만, 블레셋 땅은 다윗의 미래와 왕권을 위협하는 위험한 도박이었습니다.

1. 블레셋으로 도피함(27:1-4)

사울의 추격을 멈출 수 있는 것은, 블레셋 땅으로 도피하는 길이라 판단합니다. 블레셋 다섯 도시 중 유다와 인접한 가드를 찾았습니다.

600명의 군대와 가족을 포함한 2천여 명이 블레셋으로 망명을 떠났습니다. 다윗은 블레셋에 머물면서 가드 왕 아기스에게 블레셋 적들을 치는 것처럼 가장하고 이스라엘 적들을 제거했습니다.

다윗의 예상은 적중해서 사울은 더 이상 다윗을 찾지 않고 추격을 포기했습니다. 다윗은 사울로 인해 지쳤고 많은 가족을 데리고 피신하는 것이 쉽지 않았을 것입니다. 무엇보다 언제 사울의 손에 죽을지 두려워했습니다(1절). 하나님은 다윗의 최악 선택을 바꾸어주시고 복 주셨습니다.

2. 시글락에서 거주(27:5-7)

다윗은 블레셋 가드 왕 아기스에게 작은 성읍을 요청합니다. 왕이 선물로 준 성읍은 받은 자의 소유가 되었습니다(6절). 시글락은 여호수아가 시므온과 유다 지파에게 기업으로 준 땅이었습니다(수 15:31). 두 지파의 경계에 있던 시글락을 이스라엘은 정복하지 못하고 블레셋에 빼앗겼는데 다윗이 그 땅의 소유자가 되었습니다. 하나님은 고난 중에서도 순종하는 자들에게 은혜를 주셨습니다.

3. 이스라엘 적들을 제거함(27:8-12)

다윗은 시글락에서 1년 4개월을 살며 아기스 왕의 감시를 피해 이스라엘 왕으로서 유다 남쪽 지역의 그술, 기르스, 아말렉 성읍들을 정복했습니다. 유다 지파에게 위협이 되었던 도시들을 하나씩 제거함으로 유다 지파의 지지를 받았을 것입니다. 다윗과 군대는 자신들의 은밀한 공격을 숨기기 위해 거주민을 몰살시켰습니다(11절). 그리고 가드 왕 아기스에게 유다 성읍을 친 것처럼 가장했습니다. 다윗은 기름부음 받은 왕으로 최선을 다하고 있었습니다.

성경 공부

문제❶ 여전히 사울을 신뢰할 수 없었던 다윗이 어디로 피난합니까? (27:1)

문제❷ 다윗이 가드에 거주할 때 함께 했던 두 아내는? (27:3)

문제❸ 다윗이 받은 땅 시글락은, 본래 이스라엘 어느 지파의 기업입니까? (27:6)
(여호수아 15:31, 19:5 참조)

문제❹ 다윗이 블레셋 땅에서 산 날은 얼마입니까? (27:7)

문제❺ 다윗은 블레셋의 전쟁에 참가하며 이스라엘의 적들을 멸했습니다.
그 성읍의 이름은? (27:8)

오늘의 묵상

다윗은 아직도 사울을 신뢰할 수 없다고 판단하여 더 이상 사울이 쫓아올 수 없는 이방 땅 블레셋으로 피난합니다. 위험한 결정임에도 하나님은 다윗을 도우십니다. 블레셋의 전쟁에 참여했지만, 장차 이스라엘의 적이 될 민족들을 치는 기회로 삼았습니다. 하나님은 가드 왕 아기스로 다윗을 믿게 하셨습니다.

오늘의 적용

하나님은 좋지 않은 상황도 선하게 사용하실 수 있는 분임을 믿으십니까?

오늘의 기도

어떤 상황에서도 주님을 바라보겠습니다.

사·무·엘·상

28장

본문 소개

다윗을 신임한 블레셋 가드 왕 아기스는 이스라엘과 전쟁을 위해 군대를 모집하고 다윗에게 전쟁에 참가할 것을 요구했습니다. 다윗이 아기스의 용병이 되어 이스라엘과 전쟁에 참가하면 하나님 섭리는 끝나게 되고, 아기스의 요청을 거절하면 다윗과 2천 명의 망명 가족들의 생명은 위태로워지게 됩니다.
사울도 블레셋과의 전쟁을 앞두고 하나님의 뜻을 물었으나 하나님께서 대답하지 않으셨습니다. 사울은 어떻게 했을까요?

1. 하나님의 침묵(28:3-7)

사무엘이 죽자, 사울은 종교개혁을 시행하여 신접한 사람과 박수를 쫓아냈습니다. 뒤늦게 하나님과의 관계를 회복하려 했던 것으로 보입니다.
그러나 블레셋이 침략해 왔을 때 사울은 두려움으로 하나님을 찾았으나 하나님이 응답하지 않으시자 사울은 자신이 추방했던 신접한 여인을 찾아갔습니다. 사울의 충격적인 행동은 그가 얼마나 깊은 영적 어둠에 빠져 있는가를 보여줍니다.

2. 심령술사를 찾다(28:8-19)

심령술이나 주술을 찾는 것은 하나님이 금하신 죄악입니다(신 18:10-12). 사울은 변장한 후 엔돌의 주술사를 찾아가 사무엘을 불러달라고 요청합니다.

사울에게 나타난 사무엘의 영이 진짜인가에 대해 논란이 많습니다. 성경은 사람이 죽은 이후 현세와 내세를 오고 갈 수 없다고 말씀하고 있기에 이는 악령의 속임수입니다. 나타난 사무엘이 말한 예언도 새로운 것이 없기 때문입니다.

거짓 사무엘의 영이 사울에게 나타나 과거의 예언을 다시 반복해서 전했습니다. "여호와께서 나를 통하여 말씀하신 대로 네게 행하시리라."(17절) 그리고 "내일 너와 네 아들들이 죽으리라"라고 말했습니다(19절). 사울은 영적으로 완전히 망가지고 타락했습니다. 무당이 불러낸 죽은 자의 영혼에게 마저 죽음의 심판을 들어야 하는 무기력한 사람이었습니다(대상 10:13-14).

3. 버림받은 사울(28:20-25)

자기의 죽음을 직감했던 사울은 결국 자기 죽음을 확인했을 뿐입니다(5절). 죽음의 두려움 앞에서 사울은 주저앉았습니다. 하나님의 저주를 바꿀 수는 없었습니다. 사울은 마지막까지 버림받은 영혼의 황폐함을 그대로 드러냈습니다.

사울은 주술사 여인이 급히 만든 음식을 먹고 그 밤에 "내일이면 죽는다"라는 두려움을 안고 돌아왔습니다.

성경 공부

문제❶ 사울의 간구에 하나님이 응답하지 않으신 배경을 써보십시오. (28:4~6)

문제❷ 하나님의 침묵에 사울이 신접한 여인을 찾아 요청한 것은? (28:11)

문제❸ 거짓된 사무엘의 영조차도 사울에게 무엇을 말합니까? (28:18)

문제❹ 사울의 미래에 대해 어떤 심판 예언을 전하게 하십니까? (28:19)

오늘의 묵상

하나님은 사울의 간구에 응답하지 않으십니다. 그 불안과 두려움에 다시 하나님이 미워하시는 신접한 사람을 찾아갑니다. 사울은 영적으로 이미 죽은 사람이었습니다. 자기의 장래에 관해 묻는 사울에게, 거짓된 사무엘의 영도 하나님의 심판 예언을 전합니다. 사울의 기력이 사라져 쓰러지고 맙니다.

오늘의 적용

오늘의 운세, 사주, 타로, 주술, 점, 작명, 철학관 같은 거짓 영들이 사용하는 도구들은 하나님이 미워하시고 금하십니다. 나와 관계가 있다면 회개합시다.

오늘의 기도

하나님 말씀만 따라서 살겠습니다.

사·무·엘·상

29장

본문 소개

블레셋과 이스라엘의 전쟁이 시작되었습니다. 블레셋 진영에서는 다윗이 이번 전쟁에 참가하는 문제로 갈등을 일어났습니다. 다윗은 침묵 가운데 이 위기를 하나님의 손에 맡겼습니다. 사울은 비슷한 상황에서 허둥거리고 영매를 찾아가 더 큰 죄를 지었으나 다윗은 견고히 하나님을 의지했습니다.

블레셋과 이스라엘 전쟁에서 다윗이 할 수 있는 일은 하나님을 의지하는 것 외에는 없었습니다. 하나님은 블레셋 지도자들의 갈등을 통해 다윗을 전쟁의 위기에서 건져내셨습니다.

1. 블레셋 지도자들의 불신(29:1-5)

이스라엘과 전쟁을 위해 블레셋 지도자들은 군대를 이끌고 아벡으로 모였습니다. 블레셋 지도자(방백)들은 아기스와 함께 있는 다윗과 군대를 보고 당황했습니다. 그들은 다윗의 참가를 절대 반대했습니다.

다윗은 뛰어난 용사이며 전쟁 중에 반역하여 이스라엘 군대 편에 선다면 블레셋이 위험해질 수 있다고 반박했습니다. 또한 지금은 사울과 대적하고 있으나 다윗이 이번 전쟁을 통해 사울의 환심을 살 수 있는 결정적 기회가 될 수 있으므로 다윗과 함께 전쟁에 참가할 수 없다고 주장했습니다(4절).

아기스 왕이 다윗의 결백을 주장했지만, 블레셋 지도자들은 과거 여인들의 노래를 증거로 삼아 다윗을 다시 거부했습니다. 하나님은 이렇게 다윗을 위기에서 건져내고 계셨습니다. 다윗이 하나님을 의지하자 다윗을 커다란 곤경에서 건져내셨습니다.

2. 완벽한 하나님의 구원(29:6-11)

가드 왕 아기스는 다윗을 불러 이번 전쟁에 참가시키고 싶지만, 블레셋 지도자들이 반대하니 다윗이 양보해 주기를 요청했습니다.
다윗은 "내가 무엇을 잘못하였습니까?"라고 표면상 항의했지만, 하나님이 위기에서 자신을 건져주셨음을 감사했을 것입니다. 아기스는 거듭 다윗의 신실함을 인정하며(3, 6, 9절) 다윗에게 양해를 구하고 있습니다. 하나님을 의지하는 다윗을 놀라운 방법으로 곤경에서 건져내셨습니다.
블레셋 용병이 되어 이스라엘과 적이 될 뻔했지만, 하나님이 곤경에서 다윗을 도우셔서 이스라엘을 향해 칼을 들지 않아도 되었으며, 사울이 죽는 전쟁에 참가하지 않게 되었습니다.

성경 공부

문제❶ 이스라엘과 싸우기 위해 블레셋 군대가 모인 장소는? (29:1)

문제❷ 이스라엘 군대가 진을 친 곳은? (29:1)

문제❸ 블레셋 방백들이 다윗의 전쟁 참가 반대를 어떻게 요청합니까? (29:4)

문제❹ 블레셋 방백들이 언급한 다윗을 향한 노래란? (29:5)

문제❺ 아기스 왕은 다윗을 어떻게 생각했습니까? (29:6)

오늘의 묵상

블레셋으로 피난한 다윗에게 이스라엘과 전쟁을 해야 하는 위기가 찾아왔습니다. 민족을 향해 칼을 들어야 합니다. 그러나 왕과 방백들 사이에 다윗의 전쟁 참여 문제로 갈등이 일어나 다윗의 전쟁 참여가 배제됩니다. 하나님이 위기에서도 다윗과 함께하셨고 그를 건져내셨습니다.

오늘의 적용

하나님께 신실한 사람에게 하나님도 신실하십니다. 나를 곤경에서 도우셨던 간증을 써보십시오.

오늘의 기도

다윗처럼 하나님께 신실한 사람으로 살겠습니다.

사·무·엘·상

30장

본문 소개

아벡에서 시글락까지는 삼일 길입니다. 돌아와 보니 거주지가 폐허가 되어 있었습니다. 아말렉이 시글락을 습격하여 사람들을 포로로 끌고 가고 성을 불태웠습니다. 이 일로 인해 다윗은 또 다른 위기에 처하지만, 여전히 하나님을 의지하고 이스라엘 왕으로서 능력을 보여주었습니다. 사울은 위기에 무너졌지만, 다윗은 위기에서 하나님에 대한 믿음과 지도자의 자세를 보여주었습니다.

1. 또 다른 위기(30:1-6)

아말렉 족속은 출애굽 때 행진하던 노약자와 부녀를 쳤던 비열한 족속으로(신 25:17-19) 하나님께서 아말렉을 멸하실 것을 선언하셨습니다(출 17:14). 사울이 하나님께 버림받은 것도 아말렉을 진멸하지 않았기 때문입니다(15:10-31). 아말렉은 약자를 공격하는 약탈자들이었습니다.

다윗과 군대는 울 기력이 없도록 울었습니다. 사람들은 다윗을 죽이려 했으나 다윗은 하나님을 의지하고 힘을 얻었습니다.

2. 하나님께 물었다(30:7-10)

사울이 하나님께 물었을 때 하나님은 침묵하셨지만, 다윗이 물었을 때 하나님은 질문에 대답하셨을 뿐 아니라 결과에 대해서 약속해 주셨습니다.

우리가 하나님을 가까이할 때 하나님께서도 가까이 하십니다(약 4:8). 다윗의 리더십은 하나님께서 주셨습니다. 다윗과 군대는 지칠 때까지 아말렉 뒤를 추격했습니다.

3. 하나님이 주신 승리(30:11-20)

추격하던 중 길에 쓰러진 사람을 발견합니다. 다윗도 시간에 쫓기는 상황이었지만 죽어가는 사람을 외면하지 않고 친절을 베풀었습니다. 하나님은 그 사람을 통해 아말렉까지 인도하는 인도자가 되게 하셨습니다. 하나님이 하시는 일은 늘 같습니다. 동정과 친절을 베푼 곳에 하나님의 인도와 섭리와 신비를 감춰놓으셨습니다.

다윗은 하루 반 동안 아말렉을 쳐서 승리를 거두고 잃어버렸던 가족과 사람들, 재산과 전리품을 되찾고 돌아왔습니다.

4. 다윗의 배려(30:21-31)

지쳐서 추격전에 중도 탈락한 200명은 전리품 분배에서 제외하자는 의견이 나오자, 다윗은 모든 사람에게 공평하게 전리품을 나눌 것을 명령했습니다.

전쟁의 전리품은 하나님이 주신 선물이므로 모두에게 공평하게 주어야 합니다. 다윗은 또 유다 장로들에게 전리품을 나눔으로써 장래 하나님의 인도하심을 위한 길을 마련했습니다.

성경 공부

문제❶ 다윗이 시글락을 비웠을 때 누가 쳐들어왔습니까? (30:1~2)

문제❷ 아말렉에 포로로 잡혀간 다윗의 두 아내의 이름은? (30:5)

문제❸ 백성들이 다윗을 돌로 치려고 할 때 다윗의 행동은? (30:6)

문제❹ 다윗은 몇 명을 거느리고 아말렉을 쫓았습니까? (30:9)

문제❺ 다윗은 아말렉 추격 중에 처진 200명을 어떻게 대했습니까? (30:24)

오늘의 묵상

다윗과 일행이 시글락으로 돌아왔을 때 거주지가 폐허가 되어 있었습니다. 아말렉이 습격하여 사람들을 포로로 끌고 가고 성을 불태운 것입니다. 아말렉은 늘 약자를 공격했던 비열한 약탈자입니다. 사울이 아말렉을 점령하지 않았던 것이 이 상황을 불러왔습니다. 가족과 재산을 잃은 사람들이 분노하지만, 다윗은 하나님을 의지하여 힘입고 사람들을 격려하여 아말렉을 따라잡아 치고 모든 것을 되찾았습니다. 다윗은 위기에서도 하나님에 대한 믿음과 지도자의 모습을 보여주었습니다.

오늘의 적용

어려운 상황에서도, 어떻게 하나님의 능력을 힘입을 수 있습니까?

오늘의 기도

어려운 상황에도 하나님을 의지하겠습니다.

사·무·엘·상

31장

본문 소개

창세기는 야곱과 요셉의 죽음으로 끝나고, 신명기는 모세의 죽음으로, 여호수아서는 여호수아의 죽음으로 끝을 맺었습니다. 사무엘상은 사울의 죽음으로 끝나고 있습니다.

사울이 버림받은 이후 초대 왕정 시대는 두 왕의 이야기로 전개되었습니다. 하나님께 기름 부음을 받은 사울과 다윗, 두 왕을 통해 버림받은 자와 하나님 마음에 합한 자의 모습을 대조해서 보여주었습니다. 다윗은 상승하고 사울은 추락했습니다. 우리 안에도 육신의 정욕과 성령의 뜻이 서로 갈등하고 있습니다.

1. 사울 가문의 죽음(31:1-7)

"내일 너와 네 아들들이 같이 죽으리라" 길보아 산에서 그 예언이 성취되었습니다.

처음 사울이 왕으로 세움을 받았을 때 블레셋 사람들에서 이스라엘을 구원하리라(9:16)고 하셨는데, 사울은 블레셋 사람들에 의해 죽임을 당했습니다. 사울이 하나님께 버림받자, 사명의 대상이었던 블레셋이 사울을 향한 심판의 도구가 되었습니다.

전쟁은 이스라엘 패배로 끝났습니다. 이미 예언된 일이었습니다(28:19). 사울의 세 아들 요나단, 아비나답, 말기수아도 죽고 사울은 화살에 맞아 중상을 입은 후 스스로 목숨을 끊었습니다.

2. 사울 일가의 장례식(31:8-13)

블레셋 사람들이 전리품을 찾아 시체를 벗기러 왔다가 사울과 아들들의 주검을 보고 사울의 머리를 베어 블레셋 주요 도시를 돌며 순회시켰습니다(9절). 사울과 아들들의 시체는 벧산 성벽에 못 박아 전시했습니다. 사울의 갑옷은 아스다롯 신전으로 보내졌습니다(10절). 법궤를 다곤 신전에 전시했던 블레셋이 이스라엘 왕의 갑옷을 아스다롯 신전에 승리의 기념물로 전시했습니다.

길르앗 야베스 사람들이 사울과 아들들의 시체를 가져다가 화장하고 장사 지낸 후 7일 동안 금식했습니다(12~13절). 길르앗 야베스 거민은 사울이 처음 암몬 왕에서 구원해 준 은혜를 잊지 않고 갚았습니다(11장). 왕에 대한 예우를 갖춰주었습니다.

다윗이 사울을 하나님의 손에 맡겼는데 하나님께서 사울의 마지막을 이끄셨습니다. 하나님의 주권에 대한 믿음, 하나님께 대한 온전한 순종을, 두 왕 사울과 다윗에게서 배울 수 있습니다.

성경 공부

문제❶ 블레셋에 패한 이스라엘이 엎드러져 죽은 곳은? (31:1)

문제❷ 블레셋에 패해 도망하던 사울은 어떻게 죽었습니까? (31:4)

문제❸ 블레셋은 사울의 시체를 어떻게 했습니까? (31:9~10)

문제❹ 사울의 시체를 거두어들인 주민은 누구입니까? (31:11~12)

문제❺ 사울의 뼈가 묻힌 곳은 어디입니까? (31:13)

오늘의 묵상

사무엘상 마지막 장은 이스라엘 군대의 패배와 사울 왕과 그 아들들의 죽음으로 끝나고 있습니다. 블레셋은 사울의 시체를 이용해 모욕을 주는 행동을 했습니다. 두 사람 모두 하나님께 기름 부음을 받았지만, 하나님 마음에 합한 다윗과 달리 스스로 타락하여 비참한 최후를 맞이한 사울의 삶을 보여줍니다.

오늘의 적용

다윗과 사울의 삶을 교훈 삼아, 내 삶의 여정을 마칠 때 어떤 모습으로 하나님께 보여 드리고 싶은지 적어봅시다.

오늘의 기도

다윗처럼 하나님 마음에 합한 사람으로 인정받도록 살겠습니다.

사무엘하

2 Samuel

사무엘하 소개

하나님 앞에 두 부류의 사람들이 있습니다. 하나님을 존중하는 사람과 하나님을 무시하는 사람들입니다.

"나를 존중히 여기는 자를 내가 존중히 여기고 나를 멸시하는 자를 내가 경멸하리라"(삼상 2:30). 하나님께 바치는 제물과 제사를 무시했던 엘리의 두 아들이 버림받고, 하나님께 충실한 사무엘을 세우셨습니다. 사무엘을 통해 새로운 시대를 열었습니다.

하나님께 불순종하고 하나님께 버림받은 사울과 하나님 마음에 합한 다윗의 이야기가 사무엘상 역사를 채웠습니다.

이제 사울이 죽은 후에 동일한 하나님 주권이 다윗의 일생에 적용됩니다. 사무엘상에 전개되었던 <다윗의 상승과 사울의 쇠퇴> 기록은, 사무엘하에서는 <다윗의 상승과 다윗의 쇠퇴> 기록으로 전환되었습니다. 다윗의 인생은 밧세바 사건을 기준으로 둘로 분리됩니다. 다윗의 승리(1~10장)와 밧세바 범죄(11~12장), 다윗의 내리막길 이야기(13~24장)로 구분됩니다.

사무엘하 줄거리:

1. 사울의 죽음과 다윗의 즉위(1장~5:10)
2. 다윗의 왕권 확장(5:11~8:18)
3. 다윗의 범죄와 쇠퇴(9:1~24:25)

사무엘하는 다윗 왕국의 시작과 번영, 다윗의 밧세바 범죄와 하나님 심판을 기록하고 있습니다. 다윗의 생애를 통해 하나님을 존중히 여기는 사람으로 사는 법을 배우길 바랍니다.

사·무·엘·하

1장

본문 소개

사무엘하는 "사울이 죽었더라"로 시작됩니다. 하나님은 사울이 죽을 때까지 기다리셨습니다. 이제 다윗이 이스라엘 왕으로 세움을 받을 때가 되었습니다. 다윗이 이스라엘 왕으로 세움 받는 과정을 사무엘하 1~4장에 자세하게 기록했습니다.

다윗은 사울에게 오랫동안 괴롭힘을 당했지만, 그의 죽음을 진심으로 슬퍼합니다. 이제 다윗은 자유로웠고 자신을 괴롭혔던 사울에 대해 분노도 증오도 없었습니다. 사울의 죽음을 마음 다해 슬퍼하고 존중히 대했습니다.

1. 사울의 죽음(1:1-10)

사울이 죽은 전쟁터에서 아말렉 소년 하나가 사울의 왕관을 들고 다윗을 찾았습니다. 다윗은 재산과 가족을 약탈했던 아말렉을 추격해서 승리하고 돌아온 후였습니다. 소년은 이스라엘의 패배와 사울과 요나단의 사망 소식을 전했습니다. 아말렉 소년은 다윗에게 자신이 사울을 죽였다고 말하면 다윗이 기뻐하고 포상해 줄 것을 기대하고 거짓말을 꾸몄습니다. 그러나 다윗은 달랐습니다. 다윗은 사울의 죽음을 기뻐한 것이 아니라 마음 다해 슬퍼했습니다.

2. 다윗의 슬픔(1:11-18)

다윗은 옷을 찢고 금식하며 울었습니다. 정치적 쇼가 아니라 진심으로 사울의 죽음과 이스라엘 패배를 슬퍼했습니다. 하나님을 존중하는 사람들은 하나님이 기름 부은 사람을 존중합니다. 다윗은 사울을 원수로 생각하지 않았으며 사울의 아들 요나단을 진심으로 사랑했습니다.

다윗은 아말렉 소년을 처형했습니다. 하나님이 기름 부은 사람을 죽였다는 그의 말 때문이었습니다. 아말렉 소년은 거짓말로 사울을 죽였다고 했지만, 그 말에 책임을 져야 했습니다.

3. 다윗의 애가(1:17-27)

다윗의 애가를 '활의 노래'라는 이름으로 불렀습니다. 다윗은 모든 예의를 다해 사울과 요나단의 죽음을 슬퍼했습니다. "오호라 두 용사가 엎드러졌도다" 세 번이나 반복하며 충격과 아픔을 쏟아 놓았습니다(19, 25, 27절).

다윗은 요나단의 죽음을 더욱 가슴 아파했습니다(26~27절). 요나단의 사랑은 다윗에게 고귀한 희생과 헌신이었기에 다윗은 그의 사랑을 슬퍼했습니다. 다윗은 사울 역시 끝까지 존중하고 하나님 손에 그 관계를 맡겼습니다.

성경 공부

문제❶ 다윗에게 아말렉 소년이 사울의 죽음 소식과 함께 가져온 것은? (1:10)

문제❷ 사울과 요나단의 죽음 소식을 들은 다윗의 반응은? (1:11)

문제❸ 사울과 요나단의 죽음 소식을 전한 소년을 처형한 이유는? (1:15~16)

문제❹ 다윗이 애가를 지은 까닭은? (1:17~18)

문제❺ 다윗은 애가에서 요나단을 향한 마음을 어떻게 표현합니까? (1:26)

오늘의 **묵상**

오랜 시간 다윗을 괴롭히며, 하나님 뜻을 벗어나 무의미하게 세월을 낭비한 사울과 다윗에 대한 하나님 뜻을 알고 사랑하며 희생한 요나단도 죽었습니다. 다윗은 두 사람의 죽음을 진심으로 슬퍼합니다. 특히 요나단의 죽음에는 더했습니다. 사울에 대해서도 가식이 아닌 진심 슬픈 마음을 가졌습니다. 그리고 두 사람을 향한 애가를 지어 위로합니다.

오늘의 **적용**

나에게 있는 것을 무의미한 것에 낭비하고 있지 않습니까?

오늘의 **기도**

사람들을 주님처럼 편견 없이 진심으로 대하겠습니다.

사·무·엘·하

2장

본문 소개

아말렉 소년이 가져왔던 사울 왕관을 들고 다윗은 하나님께 유다 땅으로 돌아갈 시간을 묻고 확인했습니다. 하나님께서는 다윗과 일행을 유다 땅 헤브론으로 인도하셨습니다.

다윗은 헤브론에서 유다 왕으로 세움을 받았습니다. 이후 이스라엘은 사울 집안과 다윗, 두 왕 체제로 나뉘어졌습니다. 사울은 죽었지만, 아직도 사울과 다윗의 갈등은 계속되었습니다. 다윗이 이스라엘 왕이 되기 위한 시간이 필요했습니다(5:3).

1. 유다 왕이 된 다윗(2:1-11)

헤브론은 유다 성읍 중 가장 중요한 도시입니다. 다윗이 '유다 어느 성읍으로 갈 것인가'를 하나님께 물었을 때 헤브론을 정해 주셨습니다. 다윗은 헤브론에서 유다 왕으로 7년 반을 통치하게 됩니다. 사울이 죽은 후 사울의 아들 이스보셋은 이스라엘 왕이 되어 2년 동안 왕위에 있었습니다(10절). 사울이 죽었지만, 다윗은 하나님 시간을 더 기다려야 했습니다. 다윗이 유다 왕이 된 후 먼저 한 일이 사울을 장사 지낸 길르앗 야베스 사람들을 축복하는 일이었습니다. 다윗은 그들이 자기를 지지해 주는 편이 되길 원했습니다.

2. 다윗과 이스보셋(2:12-32)

두 왕이 세워졌습니다. 다윗이 헤브론에서 유다 왕이 되고, 사울의 군대 장관 아브넬에 의해 사울의 아들 이스보셋이 마하나임에서 이스라엘 왕이 되지만 2년 만에 살해를 당하고 맙니다(4:12).

❶ 아브넬과 요압의 전투(2:12-17). 사울 집안의 실세 아브넬과 다윗의 군대 장관 요압이 기브온에서 만났습니다. 아브넬과 요압은 각각 12명의 대표가 겨루는 결투방식을 선택했습니다. 24명의 용사가 결투로 죽어간 그곳을 헬갓 핫수림 '칼의 벌판'이라 불렀습니다. 사울의 군대가 다윗의 군대 앞에 패했습니다.

❷ 아사헬의 죽음(2:18-23). 다윗의 군대 장관 요압에게 아비새와 아사헬 두 형제가 있었는데 아사헬이 사울의 실세 아브넬을 끝까지 뒤쫓다가 아브넬에게 죽임을 당했습니다.

❸ 휴전과 전쟁 결과(2:24-32). 아브넬의 제안으로 요압은 휴전하게 되었습니다. 전쟁 결과를 보면 다윗의 군대는 19명을 잃었고, 아브넬의 군대는 360명을 잃었습니다. 전쟁이 계속될수록 다윗은 점점 강해지고, 사울의 집안은 점점 약해졌습니다.

성경 공부

문제❶ 사울 사후, 하나님의 뜻을 묻고 들은 다윗은 어디로 향했습니까? (2:1)

문제❷ 아브넬에 의해 마하나임에서 왕이 된 사울 아들의 이름은? (2:8~9)

문제❸ 아브넬(이스라엘)과 요압(유다)의 싸움이 있었던 장소는? (2:14~16)

문제❹ 아브넬을 쫓다가 전사한 유다의 용사는? (2:18~23)

문제❺ 이 전쟁에서 다윗의 부하들에 죽은 아브넬 군대의 수는? (2:31)

오늘의 묵상

사울 사후, 다윗은 하나님께 여쭙고 성읍을 헤브론으로 옮깁니다. 그리고 사울을 장사 지낸 길르앗 야베스 사람들의 선한 행위를 축복합니다. 사울의 군사령관 아브넬에 의해 사울의 아들 이스보셋이 이스라엘 왕으로 세워집니다. 다윗은 아직 이스라엘 전부의 왕이 되지 못했지만 서두르지 않고 하나님 시간을 기다립니다. 동족끼리의 전투가 벌어지고 다윗의 군대는 19명을 잃었으며 아브넬의 군대는 360명을 잃었습니다.

오늘의 적용

서두르지 않고 하나님의 뜻과 시간을 잘 기다립니까?

오늘의 기도

하나님 뜻을 잘 알도록 말씀을 가까이하고 순종하겠습니다.

사·무·엘·하

3장

본문 소개

사울의 집은 쇠락하고 다윗의 집은 점점 강해졌습니다. 나는 작아지고 그리스도는 높임을 받으셔야 합니다. 다윗은 하나님께서 자신을 세워주실 때까지 기다렸습니다. 다윗이 이스라엘 전부의 왕이 되려면 사울의 집이 스스로 몰락하거나 아니면 제거되어야 합니다. 3장에서 사울의 집 이스보셋 왕권을 세워주었던 아브넬이 이스보셋을 배반하고 결국 요압에 의해 살해를 당하게 됩니다. 사울 왕권이 무너졌습니다.

1. 다윗의 아들들(3:1-5)

쇠퇴하는 이스보셋과 대조적으로 다윗의 집안이 번성했습니다. 그 증거로 헤브론에서 낳은 다윗의 아들들을 소개했습니다. 아들들의 이름은 후에 문제를 일으키는 순서로 기록했습니다. 암논(2절), 압살롬(3절), 아도니야(4절)이며 이들은 왕권 계승을 놓고 서로 다투게 됩니다.

2. 아브넬의 배신(3:6-21)

다윗이 이스라엘 왕으로 세움을 받게 되는 결정적 사건이 일어났습니다. 이스보셋이 사울의 첩이었던 리스바를 취한 아브넬을 책망했습니다. 왕의 첩을 취하는 것은 권력에 대한 반역을 상징하기 때문입니다.

아브넬은 "나를 유다에 아첨하는 개 대가리로 아는가?" 자기 때문에 사울 가문과 당신이 왕이 되었다고 분노합니다. 그리고 다윗에 대한 하나님의 뜻을 성취하겠다고 선언했습니다(9~10절). 그리고 즉시 행동으로 옮겼습니다.

아브넬은 다윗에게 사람을 보내어 자기 뜻을 전달하고(12절), 이스라엘 장로들에게 이제 다윗을 왕으로 세우는 것을 성취하라고 말합니다(17절). 그리고 사울의 지파 베냐민 사람들을 찾아가 설득한 후에 다윗을 찾아가 만났습니다.

3. 아브넬의 죽음(3:22-30)

요압은 아브넬이 동생 아사헬을 죽인 것에 대해 원한을 품고 있었고, 아브넬에게 사람을 보내어 다시 헤브론으로 돌아오게 한 후에 살해했습니다(27, 30절). 이 일로 다윗은 정치적으로 함정에 빠지게 되었습니다. 오래 기다렸던 왕국의 통일이 사라질 위기에 처했습니다.

4. 아브넬 장례(3:31-39)

다윗은 요압을 저주한 후에 아브넬을 위한 장례식을 직접 주관했습니다. 애가를 지어 애통해했고 금식하며 그의 죽음을 진심으로 슬퍼했습니다. 다윗의 진실이 백성들의 오해를 풀게 하고 위기를 극복하게 했습니다.

성경 공부

문제❶ 시간이 흐르며, 사울의 집과 다윗 집의 서로 다른 변화는? (3:1)

문제❷ 다윗의 여섯 아들들의 이름을 써봅시다. (3:2~5)

문제❸ 여호와께서 다윗에게 하셨던 맹세는? (3:10)

문제❹ 미갈을 요구하는 다윗의 요청에 이스보셋은 어떻게 행합니까? (3:15)

문제❺ 요압이 다윗에게 숨기고 아브넬을 유인하여 죽인 이유는? (3:27)

오늘의 묵상

사울 가문은 쇠락하는 반면, 다윗 가문은 강하여져 갑니다. 아브넬의 잘못으로 이스보셋과 불화하고 사울 가문은 끝으로 다다릅니다.
요압은 자기 동생을 죽인 아브넬에 대한 복수를 품고 있었고, 다윗에게 숨기고 자기 계략으로 아브넬을 죽입니다. 이 때문에 이스라엘 공동체 연합에 위기가 찾아오지만, 다윗의 진심으로 사태가 봉합됩니다.

오늘의 적용

위기 때마다 다윗이 보여준 진심처럼, 하나님과 사람들에게 진심이 있습니까?

오늘의 기도

주님 제가 늘 진실하게 살겠습니다.

사·무·엘·하

4장

본문 소개

사울 왕권을 주도했던 아브넬이 죽자, 사울 집안이 크게 흔들리고 이스보셋도 암살당합니다. 사울과 요나단, 그리고 권력의 실세 아브넬이 죽고 이제 이스보셋도 죽었습니다. 이 모든 죽음이 다윗과 상관없이 진행되었습니다.

다윗은 하나님께 전부를 맡겼습니다. 사울에게 보복하거나 아브넬과 이스보셋을 적대시 하지도 않았습니다. 보복은 하나님이 하시는 일입니다. 하나님께서 모든 일을 처리하시고, 하나님의 뜻을 성취하고 계셨습니다.

1. 이스보셋 암살(4:1-8a)

사울의 집은 무너지고 다윗의 집은 견고해지고 있습니다. 다윗이 하나님의 절대 주권을 의지했기 때문입니다. 아브넬이 죽었다는 소식은 이스라엘 사람들에게 충격이었습니다. 다윗과 통일 국가를 협상하던 아브넬의 죽음은 모두에게 미래에 대한 두려움을 가져왔습니다.

이런 혼란 중에 자신의 출세를 위해 뛰어다니는 기회주의자들이 있습니다. 베냐민 지파에 속한 레갑과 바아나가 이스보셋을 암살했습니다. 6절과 7절은 이스보셋 암살을 두 장면으로 묘사하고 있습니다.

6절에서는 배를 찌르고 도망쳤다. 7절에서는 머리를 잘라 도망쳤다고 쓰고 있습니다. 학자들은 같은 내용을 반복하는 것은 히브리 어법의 독특한 방식이라고 말합니다. 7절이 6절의 상황을 다시 설명하는 방식이라고 했습니다.

사울의 왕관을 가져왔던 아말렉 소년, 이스보셋의 머리를 들고 온 레갑과 바아나, 그들은 다윗으로부터 보상과 출세를 기대하고 찾아왔지만, 다윗은 그들을 처형했습니다.

이스보셋의 죽음으로 사울 집안이 사라질 위기에 처하지만, 아직 요나단의 아들 므비보셋이 살아있습니다(4절). 다윗과 요나단의 언약은 살아있으며 다윗이 그를 돌보았습니다(삼하 9:1-8).

2. 암살자 처형(4:8b-12)

두 암살자가 이스보셋을 죽이고 "여호와께서 갚으셨나이다"라고 하나님의 뜻을 성취했다고 다윗에게 말했습니다. 그들은 이스보셋을 다윗의 원수라고 표현했지만, 다윗은 이스보셋을 원수로 생각한 적이 없었습니다.

다윗이 이스보셋 암살자들을 포상하지 않고 처형한 소식을 이스라엘이 들었을 때 사울과 그 집안에 대해 정중한 예의로 대했다고 생각했을 것입니다. 이스라엘은 다윗이 자신들에게도 인자함으로 대해 줄 것을 확신했을 것입니다.

성경 공부

문제❶ 이스보셋의 두 명의 군 지휘관의 이름은? (4:2)

문제❷ 다리를 절었던 요나단의 아들 이름은? (4:4)

문제❸ 레갑과 바아나가 누구의 머리를 가지고 다윗에게 왔습니까? (4:7~8)

문제❹ 레갑과 바아나는 어떻게 되었습니까? (4:12)

문제❺ 이스보셋의 머리는 어디에 매장되었습니까? (4:12)

오늘의 묵상

이스보셋이 암살당하고, 그 머리를 가지고 다윗에게 온 두 사람은 다윗에게 처형당합니다. 두 사람은 자기들이 한 일이 여호와의 뜻이라고 말했지만, 다윗은 이스보셋을 원수로 여기지 않았습니다. 다윗은 끝까지 사울 가문을 향해 존중과 예의를 다했습니다.

오늘의 적용

하나님 뜻을 쉽게 말하지 않았습니까? 하나님 뜻을 바로 아는 길은 무엇입니까?

오늘의 기도

욕심을 위해 하나님 뜻을 이용하는 죄를 범하지 않겠습니다.

사·무·엘·하

5장

본문 소개

사울의 집이 무너졌고, 북쪽 이스라엘 백성들은 더 이상 다윗의 왕권을 반대할 이유가 없어졌습니다.
사무엘상 16장에서 시작된 이스라엘 왕으로 기름 부음 받은 다윗은 광야의 도피, 유다 왕 7년 반 후에 통일왕국 왕이 됩니다.
한 나라에 사울과 다윗, 두 왕 체제가 끝났습니다. 다윗은 통일 이스라엘 왕이 되었고 하나님께서 다윗 왕국을 복 주셨습니다.

1. 다윗 왕의 즉위식(5:1-5)

이스라엘 모든 지파와 이스라엘 모든 장로가 다윗을 왕으로 세우는 일에 동참했습니다. 그들은 "이스라엘 목자가 되고, 이스라엘 주권자가 되리라"라는 하나님이 주신 예언의 말씀을 따라 다윗에게 기름 부었습니다.
다윗은 30세에 유다 왕이 되어 7년 반을 통치하고, 37세에 이스라엘 왕이 되어 33년을 다스렸습니다.

2. 다윗 왕국의 수도(5:6-10)

다윗은 주변 족속들을 치고 예루살렘을 정복함으로 이스라엘 왕으로서 통치력과 군사력을 증명했습니다. 예루살렘은 이스라엘 역사의 중심지가 되고 하나님이 통치하시는 거룩한 도시가 되었습니다. 예루살렘은 지난 400년 동안 이스라엘이 정복하지 못한 땅이었습니다. 강력한 천연 요새가 파괴되었기에 '예루살렘 장애인들이라도 쉽게 물리칠 수 있다'라는 속담이 생겼습니다. 예루살렘은 다윗 왕국의 수도가 되어 '시온성, 다윗성'으로도 불렀으며 하나님이 다윗과 함께 계셨습니다.

3. 다윗 왕국의 번성(5:11-25)

다윗 왕국은 전쟁과 경제에서 거대한 발전을 이룩했습니다. 하나님이 다윗과 함께 계셨습니다(삼상 13:14). 하나님이 다윗에게 성공을 주셨습니다.

❶ 두로 왕 히람(5:11-12). 두로 왕 히람이 다윗 궁궐을 지어주었습니다. 두로 왕이 다윗에게 호의를 베푼 것은 하나님께서 다윗을 이스라엘 왕으로 세우시고 다윗을 높이셨기 때문입니다.

❷ 다윗의 아들들(5:13-16). 다윗이 헤브론에서 낳은 아들들보다 다섯 명이 더 많습니다. 하나님은 다윗을 번성케 하셨습니다.

❸ 블레셋과 전쟁(5:17-25). 다윗은 하나님께 묻고 전쟁에 참가하여 첫 번째 전쟁에서 큰 승리를 거두었습니다. 두 번째 전쟁에서도 하나님의 작전 지시에 따라 다시 승리를 거뒀습니다. 이후로 블레셋은 더 이상 이스라엘을 대적하지 못하게 됩니다.

성경 공부

문제❶ 다윗이 왕으로 헤브론과 예루살렘에서 통치했던 기간은? (5:4~5)

문제❷ 다윗이 온 이스라엘의 왕이 되고 가장 먼저 행한 일은? (5:6~9)

문제❸ 다윗이 점점 강성해졌던 이유는? (5:10)

문제❹ 바알브라심의 뜻은 써보십시오. (5:20)

문제❺ 다윗이 블레셋 전투에서 모두 이긴 비결은? (5:19, 25)

오늘의 묵상

북쪽 이스라엘도 다윗을 왕으로 인정합니다. 비로소 하나님의 뜻이 성취되어 다윗이 온 이스라엘의 왕이 됩니다. 다윗은 예루살렘을 회복하고 하나님 신앙과 정치의 중심지로 삼았습니다. 이제 이스라엘은 예루살렘을 중심으로 하나가 되었습니다.

블레셋이 전쟁을 일으키자, 다윗은 하나님께 묻고 두 번의 전쟁에서 승리를 거둡니다.

오늘의 적용

하나님의 뜻을 기다림으로 다윗처럼 응답받고 싶은 것이 무엇입니까?

오늘의 기도

사소한 것이라도 하나님께 묻겠습니다.

사·무·엘·하

6장

본문 소개

사울은 하나님께 버림받은 후에 신정정치의 모든 것을 파괴했습니다. 여호와의 성전과 법궤에 관심이 없었습니다. 놉 땅의 제사장을 처형했으며, 에봇은 다윗 망명정부로 옮겨졌습니다(삼상 22장).

다윗은 예루살렘을 수도로 정하고, 두로 왕 히람이 다윗 궁을 건축했습니다. 다윗은 먼저 여호와의 법궤를 예루살렘으로 옮기고자 했습니다. 여호와의 법궤가 있어야 예루살렘이 하나님의 도시가 될 수 있기 때문입니다.

1. 첫 번째 법궤 운반(6:1-5)

다윗은 삼만 명을 특별 선발하여 바알레유다(기럇여아림. 삼상 7:1)에 가서 하나님의 궤를 가져오고자 했습니다. 다윗은 과거 블레셋 사람들의 운반 방식을 따랐습니다(삼상 6:7-12). 블레셋에서 새 수레에 실려 이스라엘로 옮겨졌던 법궤가 다시 새 수레로 실렸습니다.

다윗과 제사장들이 법궤를 옮기는 방법에 왜 실수 했는지 모릅니다. 하나님이 웃사를 죽이신 사건은 법궤를 옮기는 방법이 잘못되었기 때문입니다. 하나님의 영광을 구하는 일은 하나님의 명령과 방법대로 일해야 합니다.

2. 웃사의 죽음(6:6-11)

법궤를 만지는 것을 하나님은 절대 금지하셨습니다(민 4:15). 하나님께서는 법궤를 붙들었던 웃사를 치셨고 그 장소 이름을 베렛스웃사로 불렀습니다.

다윗은 법궤 운반을 멈췄습니다. 법궤는 오벧에돔 집으로 옮겨지고 하나님은 삼 개월간 오벳에돔 집에 복을 주셨습니다.

3. 두 번째 법궤 운반(6:12-19)

다윗은 무엇이 잘못되었는지를 깨닫고 율법의 규례대로 제사장들이 어깨에 메어 하나님의 법궤를 운반하도록 했습니다(민 4:5-15, 대상 15장).

다윗은 힘을 다하여 춤을 추며 하나님 법궤와 함께 예루살렘으로 돌아와 번제와 화목제를 드렸습니다.

4. 미갈의 저주(6:20-23)

미갈은 여호와의 궤 앞에서 춤추는 다윗을 업신여겼습니다(16절). 다윗은 이는 "여호와 앞에서 한 것이라" 두 번이나 말하고 하나님께서 사울의 집을 버리시고 자신을 주권자로 삼으신 것을 선언하며 미갈을 책망했습니다. 미갈은 아이를 낳지 못하게 되고 사울의 집은 몰락했습니다.

성경 공부

문제❶ 웃사가 법궤에 범한 잘못으로 어떻게 됩니까? (6:6~7)

문제❷ '베레스웃사'의 뜻을 써보십시오. (6:8)

문제❸ '법궤'가 머문 오벧에돔의 집에 어떤 변화가 있었습니까? (6:10~11)

문제❹ 궤를 다윗성으로 모셔 올 때 다윗이 한 행동은? (6:14)

문제❺ 다윗은 그 춤을 누구 앞에서 춘 것이라고 고백합니까? (6:14, 21)

오늘의 묵상

예루살렘을 신앙의 수도로 정한 다윗은 하나님의 법궤를 옮겨옵니다. 그러나 규례대로 옮기지 않다가 웃사가 죽는 사건이 일어납니다. 다시 법궤는 오벧에돔의 집에 두게 되고, 그 집이 하나님의 복을 받습니다. 이번에는 규례대로 제사장들이 법궤를 매고 옮깁니다. 성으로 들어오는 법궤로 인해 다윗은 기뻐 춤을 추었고, 왕 체통에 맞지 않는다고 못마땅하게 여긴 미갈은 죽을 때까지 임신하지 못합니다.

오늘의 적용

개인의 삶이나 교회 사역이 말씀의 규례를 따르고 있습니까?

오늘의 기도

하나님 뜻을 따라 살도록 매일 말씀을 읽고 순종하겠습니다.

사·무·엘·하

7장

본문 소개

하나님이 다윗과 언약을 맺으셨습니다. 다윗 언약을 통해 이스라엘의 미래를 보여주셨습니다. 다윗 언약은 메시아 언약으로 이스라엘뿐 아니라 인류 역사에 중요한 언약이었습니다. 다윗 언약을 통해 메시아가 인류의 구세주로 오셨기 때문입니다. 다윗은 예루살렘을 수도로 삼고, 여호와의 법궤를 예루살렘으로 옮겨오며 하나님의 언약을 갖게 되었습니다. 여호와의 법궤를 옮겨온 후에 하나님이 다윗에게 언약을 주셨습니다.

1. 하나님의 집(7:1-3)

다윗은 자신은 백향목 궁궐에 사는데 하나님은 천막에 계시는 것에 대해서 나단 선지자에게 진지하게 자문했습니다. 나단 선지자는 "주님이 기쁘게 허락하실 것"으로 대답했습니다. 하나님은 나단을 통해 다윗은 하나님의 집을 위해 준비하고 솔로몬이 하나님 집을 지을 것을 말씀해 주셨습니다.

2. 다윗의 집(7:4-17)

하나님이 나단 선지자를 통해 두 가지 중요한 사실에 대해 말씀해 주셨습니다.

❶ 하나님의 집(7:4-7). 하나님은 출애굽 이후 자신의 집을 백성들에게 요구하시지 않았음을 말씀하시고 다윗의 제안을 거절하셨습니다. 성전은 평화의 시대, 솔로몬 시대에 허락되었습니다.

❷ 다윗의 집(7:8-17). 하나님의 집을 위한 다윗의 소망이 다윗의 집을 세우는 하나님의 언약이 되게 하셨습니다.

첫째. 하나님이 다윗의 인생을 위대하게 만드셨습니다(8~9절).

둘째. 이스라엘을 성숙한 국가로 세우실 것입니다(10~11상 절). 다윗 시대에 이스라엘은 강력한 강대국이 되었습니다.

셋째. 다윗 왕조의 계승을 약속하셨습니다(11하~12절).

넷째. 다윗의 씨앗이 하나님의 성전을 건축하게 될 것입니다(13~16절). 하나님은 다윗과 그 후손들이 범죄 할지라도 죄에 대해서는 징계하시되 버리지는 않겠다고 약속하셨습니다.

3. 다윗의 기도(7:18-29)

다윗의 집 언약에 대해 다윗은

❶ 언약에 대해 감사 기도를 드렸습니다(21~24절).

❷ 언약의 성취에 대해 기도를 드렸습니다(25~29절). 다윗은 하나님의 신실하심과 거룩하심을 찬양하고 자기 집에 대한 하나님 언약이 지켜지기를 간구했습니다. 하나님이 먼저 다윗의 집을 세워주시고 다윗이 여호와의 집을 세우게 하셨습니다.

성경 공부

문제❶ 다윗이 마음에 품게 된 소망은? (7:2, 5)

문제❷ 지금까지 하나님은 어디에 머물고 계셨습니까? (7:6)

문제❸ 성전 건축은 허락되지 않았지만 어떤 약속을 주십니까? (7:8~17)

문제❹ 하나님은 다윗과의 언약을 누구를 통해서 전하십니까? (7:4, 17)

문제❺ 하나님은 성전 건축을 누구를 통해 하시겠다고 하십니까? (7:12~13)

오늘의 묵상

다윗은 백향목 궁궐에 사는 자기와 달리 하나님이 천막에 거하시는 것에 대해 나단 선지자의 조언을 구합니다. 하나님은 나단을 통해 지금까지 백성들에게 요구하시지 않았음을 말씀하시고 다윗의 뜻을 거절하십니다. 성전은 아들 대에서 건축될 것을 말씀하십니다. 대신 하나님은 다윗에게 많은 약속을 주십니다.

오늘의 적용

하나님을 향한 다윗과 같은 마음이 있습니까?

오늘의 기도

거절하시는 하나님 뜻도 순종하고 받아들이겠습니다.

사·무·엘·하

8장

본문 소개

하나님이 다윗의 집을 먼저 견고케 하시고, 다윗의 아들이 하나님의 집을 건축하게 하셨습니다. 하나님께서 다윗 왕조를 영원히 견고케 하실 것을 약속하셨습니다. 예수님은 다윗의 자손으로 이 땅에 오셔서 인류의 구원자가 되셨습니다.

"네 이름을 위대하게 만들어 주리라"(7:9) 다윗에 대한 하나님 약속이 어떻게 성취되었는가를 8장에서 보여주고 있습니다. 다윗이 어디를 가든지 하나님께서 승리를 주셨습니다(8:6, 14). 하나님이 다윗의 이름을 위대하게 만들고 계셨습니다.

1. 다윗의 전쟁(8:1-14)

하나님이 모세에게 약속하신 땅을 다 정복해야만 예루살렘 성전이 지어질 수 있습니다. 약속의 땅이 다 정복될 때까지 하나님이 기다리셨습니다.

❶ 블레셋 정복(8:1). 블레셋은 이스라엘 오랜 적이었습니다. 그러나 이제 끝이 왔습니다. 다윗이 블레셋을 정복했습니다.

❷ 모압 정복(8:2). 모압은 다윗의 조모 룻의 모국이었으나, 이스라엘의 적이기도 했습니다. 다윗은 모압도 정복했습니다.

❸ 북동쪽 지역 정복(8:3-8). 다윗은 소바와 다메섹 전정에서 큰 승리

를 거뒀습니다. 소바 왕 하닷에셀과의 전투에서 마병 1,700과 보병 2만명을 사로잡고 병거 중 100승만 남기고 나머지 말의 힘줄을 끊었습니다.

소바 왕을 도우러 왔던 다메섹 군대도 다윗에게 패배한 후 다윗의 종이 되어 조공을 바치게 되었습니다.

다윗이 빼앗은 금과 놋은 솔로몬 성전 건축에 사용되었습니다.

④ 북쪽 지역 정복(8:9-12). 소바와 원수 관계에 있던 하맛 왕 도이는 다윗에게 금과 은과 놋그릇을 바쳤고 다윗은 전쟁에서 얻은 은금과 놋그릇을 하나님께 모두 바쳤습니다(11~12절).

⑤ 에돔 정복(8:13-14). 블레셋을 시작으로 한 바퀴 원을 그리며 진행된 모든 전쟁에서 다윗은 승리했습니다. 아브라함에게 주셨던 땅의 약속이 성취되는 순간입니다. 다윗에게 주셨던 위대함의 약속도 이루어졌습니다. "다윗이 명성을 떨치니라"

2. 다윗의 정부(8:15-18)

다윗은 정의와 공의로 통치하는 왕이었습니다. 메시아는 정의와 공의로 통치하는 왕으로 묘사되었습니다. 다윗의 통치와 함께 세 부류의 사람들이 다윗 정부를 구성하고 있었습니다. 군사, 행정, 종교 조직입니다.

성경 공부

문제❶ 다윗이 어디를 가든지 이길 수 있었던 비결은? (8:6, 14)

문제❷ 병거 일백만 남기고 모든 말의 발 힘줄을 끊은 이유는? (8:4)
(신명기 17:16 참조)

문제❸ '도이'가 다윗의 승리 소식에 보내온 선물은 무엇입니까? (8:10)

문제❹ 다윗은 전쟁에서 얻은 노획물들을 어떻게 했습니까? (8:11~12)

문제❺ 다윗은 이스라엘을 어떻게 다스렸습니까? (8:15)

오늘의 묵상

다윗은 약속의 땅 정복 전쟁에서 승리했습니다. 승리 비결은 하나님이 이기게 하셨기 때문입니다. 전쟁에서 전리품으로 얻은 금과 놋을, 그리고 '도이'가 자기의 적을 물리쳐준 다윗에게 선물로 금과 은과 놋그릇을 보냈습니다. 다윗은 이것을 하나님께 드렸고, 훗날 솔로몬이 성전을 건축할 때 사용되었습니다.

오늘의 적용

다윗의 승리 비결은 하나님입니다. 이 중요한 사실을 어떻게 적용하겠습니까?

오늘의 기도

하나님의 공의와 정의를 행함으로 언약을 받는 사람이 되겠습니다.

사·무·엘·하

9장

본문 소개

백성들을 정의와 공의로 통치했던 다윗은 이제 요나단과의 언약을 지키고 있습니다. 다윗의 도피 중에 요나단은 다윗의 안내자이며 보호자였습니다. 다윗은 요나단과 언약을 맺었습니다(삼상 20:42).

다윗은 하나님께서 자신의 집을 세우시는 것을 보면서 요나단과의 언약을 지키고 있습니다. 하나님께 신실한 사람은 사람에게도 신실한 사람입니다. 하나님과의 관계는 언제나 사람과의 관계로 연결되어 있습니다(요일 4:20). 사무엘하 9-10장은 다윗이 베푼 사람에 대한 은총(헤세드)을 기록하고 있습니다.

1. 요나단의 아들(9:1-8)

다윗과 요나단의 언약은 다윗 집안과 사울 집안의 약속이 아니라 다윗과 요나단의 후손에 대한 약속입니다(삼상 20:42). 다윗은 요나단의 후손을 찾아내어 은총을 베풀고자 했습니다. 다윗은 사울 집안을 돌보는 종 시바를 찾아내고 그에게서 요나단에게 다리 다친 장애인 아들이 있다는 사실을 알게 됩니다(2~3절). 요나단의 아들을 돌보아준 사람은 마길 입니다. 마길은 큰 부자로 요나단에게 충성된 사람일 뿐 아니라 후에 다윗에게도 충성된 사람이 됩니다(17:27-29).

❶ 다윗의 행동은 정치적 위선이 아니라 요나단에 대한 우정 때문입니다. 본문에서 '요나단'을 네 번이나 말하고(1, 3, 6, 7절), '헤세드'(자비)를 세 번이나 언급하고 있습니다(1, 3, 7절).

❷ 다윗은 요나단의 아들 므비보셋에게 두 가지 자비를 베풀었습니다(7절). 사울 왕이 소유했던 모든 땅을 돌려주었으며 므비보셋을 곁에 머물게 하고 자신의 식탁에 앉게 했습니다. 장애의 몸으로 왕과 함께 식사하는 것은 특권이었습니다. 다윗은 요나단에게 받은 사랑을 더 큰 배려로 돌려주었습니다.

2. 요나단과의 언약(9:9-13)

요나단과의 언약을 지킬 수 있어 다윗은 기뻤을 것입니다. 다윗은 시바를 불러 므비보셋에게 사울이 소유했던 땅을 되돌려주었다고 말하고 그 땅을 관리해서 므비보셋을 돌볼 것을 명령했습니다. 므비보셋은 왕자처럼 다윗과 함께 식사했습니다. 므비보셋의 아들 이름은 미가였습니다. 므비보셋은 두 다리를 다 절던 사람으로 누군가의 도움이 필요했습니다. 다윗이 므비보셋의 보호자가 되었습니다.

성경 공부

문제❶ 다윗이 사울의 집에 남은 사람을 찾았던 이유는? (9:1)

문제❷ 일의 실행을 위해 누구를 찾게 됩니까? (9:2)

문제❸ 다윗이 사울의 집에 남은 사람에게 베풀고자 하는 은총은? (9:3)

문제❹ 사울의 집에 남아 있던 사람은? (9:6)

문제❺ 다윗이 므비보셋의 지위를 어떻게 회복시켜 줍니까? (9:11)

오늘의 묵상

하나님께 신실했던 다윗은 이제 요나단과의 약속을 지키려고 합니다. 사울과의 불편한 관계를 넘어 요나단과의 우정과 사랑 때문이었습니다. 므비보셋을 찾은 다윗은 그에게 왕자들과 같은 지위를 베풀고 식탁에서 함께 식사하는 은총을 베풉니다. 사울의 옛 재산들도 므비보셋에게 줍니다.

오늘의 적용

하나님의 사람은 사람에게도 신실해야 합니다. 나는 어떻습니까?

오늘의 기도

약속에 대해 신실한 사람이 되겠습니다.

사·무·엘·하

10장

본문 소개

요나단의 아들 므비보셋에게 '은총'을 베풀었던 다윗은 이제 주변 국가에 '은총'을 베풀고자 했습니다. 다윗은 하나님께 받은 은총을 주변 국가에도 되돌려주고 싶어 했습니다.

다윗은 암몬 왕 나하스가 죽고 그의 아들 하눈이 왕위에 올랐다는 소식을 듣고 조문 사절단을 보냈지만 암몬 왕 하눈은 다윗의 사절단을 모욕하고 다윗이 베푼 은총을 거절했습니다. 하나님을 거역하는 사람들은 사람들의 호의를 의심하고 거절합니다.

1. 다윗의 조문 사절단(10:1-2)

암몬 족속은 사울과 몇 차례 전쟁을 했습니다(삼상 12:12, 14:47). 다윗이 사울의 추격을 피해 도피하는 동안 암몬 왕 나하스와 친분을 맺었을 것으로 추정합니다. 다윗이 도피 시절 친분을 생각해서 그가 죽자 정중하게 조문 사절단을 보냈거나 아니면 사울이 암몬 족속에게 승리를 거둔 후 이스라엘에게 조공을 바치고 있었다면 다윗은 당연히 사절단을 보내어 우호 관계를 확인하려고 했을 것입니다.

2. 암몬 족속의 모욕(10:3-5)

암몬의 신하들은 다윗이 보낸 조문 사절단을 다윗이 보낸 정탐꾼으로 오해했습니다. 신하들의 말만 듣고 하눈은 큰 실수를 했습니다. 국제관례를 어기고 사절단으로 온 사람들의 수염을 반쯤 자르고 옷을 엉덩이까지 잘라내어 큰 모욕감을 주었습니다. 소식을 들은 다윗은 사절단으로 하여금 수염이 자랄 때까지 여리고에 머물게 했습니다.

3. 암몬과의 전쟁(10:6-19)

사절단을 모욕한 것은 전쟁 선전포고와 같았습니다. 암몬 왕 하눈은 주변 국가에서 군대를 끌어모아 다윗과 전쟁을 벌였습니다.

첫 번째 전투는 요압과 아비새가 맡았습니다(9-14절). 암몬 왕 하눈은 돈으로 용병을 끌어들였습니다(대상 19:6). 암몬과 아람 연합군 3만 3천 명과의 전쟁이었지만 다윗이 보낸 요압과 아비새 군대는 하나님을 의지하고 큰 승리를 거두었습니다.

두 번째 전투는 다윗이 직접 전쟁에 참가했습니다(15~19절). 암몬을 돕던 아람이 패배하자, 아람과 소바 연합군이 마병 4만 명과 병거 700대를 이끌고 나왔으나 크게 패배했습니다. 이 전쟁 이후 주변 국가들은 이스라엘을 섬기게 되었습니다.

성경 공부

문제❶ 다윗이 조문 사절단을 암몬에 보낸 배경은? (10:2)

문제❷ 다윗이 보낸 조문 사절단을 암몬은 어떤 오해를 했습니까? (10:3)

문제❸ 하눈이 사절단에게 한 행동은 무엇이며 어떤 의미입니까? (10:4)

문제❹ 암몬이 다윗과의 전쟁에 고용한 군사의 수는? (10:6)

문제❺ 이스라엘이 전쟁 승리를 확신하는 장면은 몇 절입니까?

오늘의 묵상

다윗은 암몬 왕의 장례식에 조문 사절을 보냅니다. 그러나 암몬은 그 호의를 의심으로 받아들이고 조문단들에게 수치 될 일을 행합니다. 다윗은 이것까지도 용납했지만, 암몬 스스로 자기들이 사절단에게 행한 일이 두려워 용병을 사서 도발합니다. 그러나 하나님은 그들을 다윗 손에 붙이셨습니다. 전쟁에 패한 대적들은 이스라엘을 섬기게 됩니다.

오늘의 적용

나의 호의를 상대방이 오해한 것과 누군가의 호의를 내가 오해한 예가 있습니까?

오늘의 기도

사람에게 받은 호의도 잊지 않는 사람이 되겠습니다.

사·무·엘·하

11장

본문 소개

다윗 인생에 분기점이 되는 사건이 일어납니다. 하나님이 평범한 목자였던 다윗을 이스라엘 주권자로 삼으시고 그 이름을 존귀하게 해주셨지만, 이 사건으로 다윗은 서서히 무너지기 시작합니다. 죄는 파괴자입니다. 하나님께서 소중하게 쓰시는 사람들을 넘어뜨리고 무가치하게 만들고 있습니다. 다윗의 인생이 계속 상승세로 이어지다가 점점 하락합니다. 우리도 늘 깨어 정신 차리고 근신해야 합니다.

1. 밧세바(11:1-5)

전쟁의 계절은 봄이었습니다. 암몬을 돕던 민족들이 떠났지만 암몬은 아직 항복하지 않았습니다(10장). 요압과 온 이스라엘 군대가 전쟁하는 동안 다윗은 궁궐에 남아 있다가 밧세바가 목욕하는 장면을 보게 되고 그녀가 충성된 부하의 아내임을 알게 되지만 다윗은 자신을 절제할 능력을 잃어버렸습니다. 결국 밧세바는 임신하게 됩니다.

2. 우리아(11:6-27)

다윗은 자신의 죄를 은폐하기 위해 임신을 조작하려 하다가 실패하자 사고를 위장하여 남편 우리아를 전쟁에서 죽게 합니다. 지혜롭게 행하여 백성들에게 사랑받았던 다윗이 가장 비열하고 음흉한 악마가 되었습니다.

❶ 다윗의 은폐 조작(11:6-13). 밧세바의 임신 소식을 듣자, 다윗은 즉시 우리아를 전쟁터에서 집으로 불렀습니다. 밧세바의 임신을 우리아가 한 것으로 만들려 했지만 실패했습니다. 우리아는 충성된 군인이었습니다. 다윗이 술을 먹이고 집에 내려가서 자고 가라고 말해도 다른 군인들을 생각하며 거절했습니다.

❷ 우리아 살해 지시(11:14-25). 죄는 또 다른 죄를 짓게 만듭니다. 다윗은 요압에게 우리아를 죽이라는 편지를 써서 보냈습니다. 우리아는 자신에 대한 살인 지령서를 자신이 직접 들고 갔습니다. 다윗의 계획대로 요압은 우리아를 함정에 빠뜨려 죽게 했습니다. 죄는 사람들을 험악한 인간으로 변질시켜 버립니다.

❸ 밧세바와 결혼(11:26-27). 남편 사망 소식을 듣고 밧세바는 소리내어 울었습니다. 그리고 남편을 살해한 살인자 다윗과 결혼했습니다. 다윗은 문제를 해결했다고 생각했으나 하나님은 다윗이 행한 일들을 악하게 보셨습니다.

성경 공부

문제❶ 다윗이 왕으로서 잘못한 처신은? (11:1)

문제❷ 밧세바의 임신을 속이려고 다윗이 행한 계획은? (11:2~8)

문제❸ 우리아의 충성심으로 실패한 다윗이 두 번째 계획한 것은? (11:15)

문제❹ 우리아의 죽음을 전해온 전령을 통해 다윗이 요압에게 전한 말은? (11:25)

문제❺ 다윗이 행한 일을 하나님께서 어떻게 보셨습니까? (11:27)

오늘의 묵상

전쟁터에 있어야 할 다윗이 궁에 남아 있었습니다. 목욕하는 장면을 볼 수 있습니다. 그러나 절제에 실패했습니다. 밧세바가 임신하자 조작하려고 했지만 그마저 실패합니다. 결국 우리아를 죽음으로 내몰아 죽게 했습니다. 죄는 다윗을 점점 악한 사람으로 변하게 했습니다. 하나님은 다윗이 보여준 행동을 악하다고 평가하셨습니다.

오늘의 적용

하나님 자녀로, 신분에 맞는 자리에 있다고 생각하십니까?

오늘의 기도

죄를 범했을 때 숨기지 않고 회개하겠습니다.

사·무·엘·하

12장

본문 소개

다윗은 아무도 모르게 밧세바 일을 해결했다고 생각했습니다. 그러나 하나님이 보고 계셨으며 다윗이 행한 일은 하나님 보시기에 악했습니다(11:27). 하나님은 나단 선지자를 보내 다윗의 죄를 깨닫게 하고 책망하셨습니다. 나단 선지자가 다윗을 찾아가는 것은 목숨을 내놓는 행동이었습니다. 우리아를 제거한 다윗이 나단 선지자를 처형할 수도 있었기 때문입니다.

1. 나단 선지자의 예화(12:1-6)

다윗을 찾아온 나단 선지자는 직접적으로 책망하지 않고 마치 며칠 전에 일어난 사건을 다윗에게 재판에 송사하듯이 전했습니다. 부자와 가난한 자에게서 일어난 사건, 가난한 사람에게 가족 같은 암양 새끼를 빼앗은 부자의 이야기를 듣고 다윗은 분노했습니다. 부자가 마땅히 네 배를 갚아주고 반드시 죽여야 한다고 말했습니다.

2. 나단 선지자의 책망(12:7-15)

"바로 당신이 그 사람입니다." 나단 선지자는 다윗 자신이 자신을 정죄하게 했습니다.

하나님은 먼저 다윗에게 주신 복에 대해 말씀하셨습니다. "부족했으면 내가 이것저것을 더 주었으리라"(7~8절). 다윗의 행동은 하나님을 업신여긴 죄였습니다(9~10절). 사울도 하나님을 업신여겼다가 버림받았으나 다윗은 심판과 징계를 받았습니다.

❶ 칼로 우리아를 죽였으니, 칼이 떠나지 않으리라(9~10절)

❷ 네 아내를 빼앗아 네 이웃에게 주리라(11절)

❸ 너는 은밀히 했으나 나는 공개적으로 하겠다(12절).

"내가 여호와께 범죄하였노라" 책망받은 다윗은 즉시 회개했습니다.

3. 아들의 죽음과 출생(12:15-25)

하나님은 밧세바가 임신한 아이는 죽을 것이라고 말씀하셨습니다(14절). 죄지은 다윗은 살고, 죄 없는 아이는 죽어야 했습니다. 아이가 태어난 지 7일을 앓다가 죽었습니다. 다윗이 금식하며 기도했지만 예언대로 아이가 죽자, 다윗은 겸허하게 하나님 뜻을 받아들였습니다. 그리고 여디디아 '하나님이 사랑하는 자' 솔로몬이 태어났습니다. 하나님께서 다윗의 실패를 다윗의 기회로 만들어주셨습니다.

4. 암몬과의 전쟁(12:26-31)

암몬과의 전쟁이 이제 끝났습니다. 요압이 암몬과의 최후 전쟁에 다윗을 초대하고 다윗은 전쟁에서 큰 승리와 전리품을 얻고 그들을 노예로 삼았습니다.

성경 공부

문제❶ 여호와께서 다윗에게 나단을 보내 죄를 깨닫게 하신 방법은? (12:1~4)

문제❷ 나단은 다윗의 어떤 죄를 범했음을 알게 합니까? (12:7~9)

문제❸ 다윗의 죄에 대한 하나님의 심판과 징계는? (12:10~12)

문제❹ 나단 선지자에게 죄를 책망받았을 때 다윗의 태도는? (12:13)

문제❺ 하나님께서 다윗과 밧세바에게 용서와 위로로 주신 선물은? (12:24~25)

오늘의 묵상

다윗은 자기 죄를 숨겨 아무도 모르게 하였습니다. 그러나 하나님을 속일 수는 없습니다. 하나님은 나단 선지자를 보내 다윗의 죄가 무엇인지 먼저 알게 하시고 책망하십니다. 이제 죄에 대한 심판과 징계를 내리시자, 다윗은 자신이 하나님께 죄를 범했음을 고백하고 회개합니다. 그리고 하나님의 징계를 받아들입니다.

하나님은 다윗과 밧세바의 죄를 용서하시고 위로의 선물을 주셨습니다.

오늘의 적용

나의 죄에 대한 분명한 회개를 합니까? 이제 반복하지 마십시오.

오늘의 기도

죄 용서의 은혜를 주시는 하나님께 감사드립니다(요일 1:9).

사·무·엘·하

13장

본문 소개

다윗에 대한 하나님의 징계와 심판이 시작되었습니다. 하나님의 진노 채찍은 다윗의 아들들에게 임했습니다. 단순한 가정불화가 아니라 하나님의 징계가 다윗의 아들들 사이에서 진행되었습니다. 하나님께서 다윗의 죄를 벌하시면서 동시에 솔로몬이 다윗의 뒤를 이어 왕이 되는 길을 준비하셨습니다.

하나님은 진노와 함께 새로운 은혜를 더하고 계셨습니다.

1. 암논과 다말(13:1-22)

암논과 이복동생 다말 사이에 벌어지는 비극이 징계의 시작이었습니다. 다말은 압살롬의 누이동생이며 압살롬은 후에 다윗 왕권을 위협하는 아들이었습니다.

다윗의 장남 암논이 다말을 성폭행하는 일은 다윗과 밧세바 사건을 닮았습니다. 두 사건이 닮은꼴로 전개된다는 것은 아버지의 죄가 자녀들에게 악한 영향을 끼친다는 것을 보여주시는 것입니다.

❶ 이복남매가 결혼하는 것을 금기시했다.

❷ 왕의 자녀들은 경호원들에게 특별한 보호를 받았다.

❸ 사촌 요나답이 암논에게 아버지를 이용하라고 제안한다.

❹ 암논이 다말을 끌어 들여 성폭행한 후에 다말을 외면했다.

❺ 다윗이 분노했으나 큰아들 암논을 책망하지 않았다.

2. 암논과 압살롬(13:23-39)

2년이 지났습니다. 다말의 오빠 압살롬은 아버지 다윗을 대신하여 암논의 죄를 처벌했습니다. 나단 선지자가 말한 대로 "칼이 집에서 떠나지 아니하리라"(12:10) 심판이 시작되었습니다. 압살롬은 여동생을 성폭행한 암논을 죽이고 어머니의 나라 그술로 도주했습니다.

❶ 양털 깎는 축제의 날 모든 왕자와 암논을 초대했다.

❷ 압살롬도 복수를 위해 아버지 다윗을 이용했다(27절).

❸ 다윗도, 암논도, 압살롬도 속임수로 자신의 탐욕을 채웠다.

❹ 다윗은 옷을 찢으며 나단 선지자의 저주를 생각했을 것이다.

❺ 압살롬은 외할아버지 '그술'왕을 찾아가 3년을 숨었다.

여호와의 원수에게 크게 비방할 거리를 얻게 했던 다윗의 범죄(12:14)에 대한 하나님의 저주는 빈틈없이 진행되고 있었습니다. 또한 "내가 네 집에 재앙을 일으키고"(12:11) 예언이 '왕자들의 난'으로 나타났습니다. 3년이 지나자, 다윗은 암논의 죽음을 현실로 받아들이고 압살롬에 대한 연민에 빠졌습니다.

성경 공부

문제❶ 암논은 이복누이 다말을 어떻게 사랑합니까? (13:1~2)

문제❷ 암논이 다말을 만나기 위해 다윗에게 부탁한 것은? (13:6~7)

문제❸ 다말은 억지로 동침하려는 암논에게 어떤 말로 말립니까? (13:12)

문제❹ 다말은 자기가 당한 일을 누구에게 말했습니까? (13:20)

문제❺ 압살롬이 암논에게 복수하기 위해 한 행동은? (13:23~29)

오늘의 묵상

다윗에게 말씀하신 징계와 심판이 시작됩니다. 다윗의 자녀들에게 그 채찍이 임했습니다. 암논이 이복누이 다말을 폭행합니다. 다윗은 분노는 했지만, 죄를 처벌하지 않았습니다. 그러자 압살롬은 '다말'이 당한 일에 대한 복수를 계획하고 결국 암논을 죽이고 도망합니다. 이렇게 자녀들 사이에 징계가 진행되었습니다.

오늘의 적용

죄를 덮어버리는 것이 용서와 사랑일까요?

오늘의 기도

죄가 꼬리를 물고 이어지지 않도록 분명하게 해결하겠습니다.

사·무·엘·하

14장

본문 소개

이복형 암논을 죽이고 도망쳤던 압살롬이 3년간의 도피 생활을 끝내고 돌아왔습니다. 압살롬이 돌아올 수 있도록 군대 장관 요압이 다윗을 설득하여 허락받았습니다. 요압은 다윗의 마음이 압살롬을 그리워하는 것을 눈치채고 다윗과 압살롬을 화해시킬 방법을 찾았습니다. 요압은 한 지혜로운 여인을 다윗에게 보내어 다윗의 마음을 설득했습니다.

1. 여인의 상소(14:1-11)

요압이 드고아의 지혜로운 여자를 찾아내어 다윗에게 보냈습니다. 나단 선지자가 이야기를 사용한 것처럼 드고아의 여인도 두 아들이 있는 것처럼 이야기를 꾸몄습니다. 한 아들이 다른 아들을 죽이자, 집안사람들은 형제를 죽인 아들을 처형해야 한다고 주장하는데 친척들이 살아있는 아들을 죽이지 못하게 다윗 왕이 막아달라는 상소였습니다. 여인은 끈질기게 다윗을 설득하여 "네 아들의 머리카락 하나도 땅에 떨어지지 아니하리라" 판결을 받아 내었습니다.

2. 여인의 설득(14:12-17)

드고아의 여인은 다윗에게 자신이 찾아온 목적을 말했습니다. "내가 지금까지 말한 것은 다윗 왕의 이야기입니다." 여인은 다윗에게 압살롬도 사랑하는 아들이므로 다시 이스라엘로 돌아올 수 있도록 귀환을 허락해 달라고 요청합니다. 사람은 다 죽게 되고 죽음은 다시 되돌릴 수 없는 일이며(14절) 하나님도 내쫓으시지만 버리시지는 않는다고 설득했습니다. 다윗 왕이 현명하게 판단할 것을 요청했습니다.

3. 다윗의 허락(14:18-24)

드고아 여인은 뛰어난 이야기꾼이었습니다. 다윗은 요압이 꾸민 일임을 알았습니다(20절).

다윗은 요압에게 압살롬을 데려오라고 명령했습니다. 그러나 압살롬을 만나지 않았습니다. 압살롬을 만나 암논을 살해한 일에 대해 책망하고 징계했어야 했지만, 다윗은 주저했습니다.

4. 다윗의 화해(14:25-33)

예루살렘에 돌아온 압살롬을 보고 백성들은 압살롬의 매력에 마음을 빼앗겼습니다. 압살롬의 매력은 머리털에 있었습니다(26절. 약 2.6kg).

압살롬은 여동생 다말에 대한 애정으로 딸의 이름도 다말로 불렀습니다.

압살롬은 다윗을 만나지 못한 채 2년이 지났습니다. 압살롬은 더 이상 미룰 수 없어 요압에게 요청하여 아버지를 만났습니다.

성경 공부

문제❶ 요압이 다윗과 압살롬의 화해를 위해 생각해 낸 것은? (14:2~3)

문제❷ 드고아 여인이 다윗에게 호소한 억울한 사정은? (14:4~7)

문제❸ 드고아 여인의 비유는 어떤 것을 의미했습니까? (14:13)

문제❹ 다윗은 압살롬을 데려오게는 했지만 어떤 명령을 내립니까? (14:24)

문제❺ 결국 다윗과 압살롬은 어떻게 됩니까? (14:33)

오늘의 묵상

요압은, 다윗과 압살롬 사이에 화해의 중재자가 됩니다. 뛰어난 이야기꾼인 드고아 여인을 통해 다윗의 마음을 돌이키고 압살롬이 돌아오게 됩니다.

다윗은 압살롬을 돌아오게는 했지만, 2년간 얼굴을 보지 않았습니다. 아버지 다윗을 보기 원하는 압살롬의 마음이 드디어 다윗과 만납니다.

오늘의 적용

예수님은 하나님과 사람 사이에 구원의 중재자로 오셨습니다. 나는 일상에서 어떻게 화해의 중재자로 살고 있습니까?

오늘의 기도

가정과 학교와 일터에서 화해의 중재자 역할을 잘하겠습니다.

사·무·엘·하

15장

본문 소개

압살롬은 망명 생활 3년을 합하면 5년 만에 아버지 다윗을 만났습니다(14:33). 다윗이 압살롬이 암논을 죽인 죄에 대해 처벌해야 했지만, 다윗은 무표정했습니다. 거부당한 압살롬은 아버지에 대한 분노와 실망으로 반란을 일으키고 반란이 진압될 때까지 아버지와 관계를 회복하지 못했습니다. 압살롬의 반란은 15~18장까지 전개됩니다.

1. 반역 준비(15:1-6)

7년 전 여동생 성폭력 사건, 3년간의 망명 생활, 아버지의 침묵과 거부 2년, 아버지에 대한 실망과 상처와 원망이 압살롬으로 반역을 일으키게 했습니다.

압살롬의 반란은 '백성들의 마음을 훔치는 전략'이었습니다. 압살롬은 마치 왕처럼 말을 타고 50명의 호위병을 거느렸으며, 다윗 왕에게 재판을 요청하는 사람들을 중간에서 가로채고 자신이 왕이 되면 백성들의 삶이 달라질 것을 공약했습니다.

2. 반역 시행(15:7-12)

압살롬이 4년 동안 백성의 마음을 도둑질했습니다. 다윗을 찾아가 헤브론에서 서원을 갚겠다고 말하고 모든 지파에 사람들을 보내어 신호가 떨어지면 '압살롬이 헤브론에서 왕이 되었다'라고 선포하도록 준비했습니다.

또한 예루살렘 지도자 200명을 초대하여 마치 자신의 반역을 지지하는 것처럼 보이게 했습니다. 무엇보다 다윗의 오랜 친구요 전략가였던 아히도벨이 압살롬 반역에 주도자가 되었습니다. 반역은 성공적이었고 백성들은 압살롬을 따랐습니다.

3. 다윗의 망명(15:13-37)

다윗이 다시 도피의 길을 떠납니다. 사울에게 쫓겼던 다윗이 아들 압살롬에게 쫓기고 있습니다. 다윗은 아들과 싸울 수 없었고 압살롬의 반란이 하나님의 징계임을 알았습니다.

❶ 압살롬의 반란 소식을 듣고 다윗은 열 명의 후궁만 남겨두고 서둘러 예루살렘을 빠져나왔습니다(13~16절).

❷ 가드 사람 잇대와 600명의 군대는 망명을 떠나는 다윗에게 끝까지 충성된 사람들이었습니다(17~23절).

❸ 아비아달과 사독과 레위 사람들이 하나님의 법궤를 메고 다윗을 따랐으나 다시 예루살렘으로 돌려보냈습니다(24~29절).

❹ 계략가 아히도벨이 압살롬과 함께 있다는 소식을 듣고 다윗이 기도합니다(31절). 하나님은 즉시 후새를 보내셨습니다. 다윗은 민첩하게 모든 상황을 이끌었습니다(30~37절).

성경 공부

문제❶ 압살롬이 자기 목적을 위해 무엇을 준비합니까? (15:1)

문제❷ 압살롬이 다윗에게 재판받으러 온 사람들을 도와준 이유는? (15:6)

문제❸ 압살롬이 정탐꾼을 이스라엘 모든 지파에 보낸 목적은? (15:10)

문제❹ 다윗이 망명에 오르며 예루살렘에 누구를 남겨둡니까? (15:16)

문제❺ 다윗이 하나님이 주신 '후새'를 압살롬에게 보낸 목적은? (15:33~37)

오늘의 묵상

아버지에 대한 분노는 압살롬의 반역으로 이어집니다. 물론 이것도 하나님의 징계 중 하나입니다. 자기 호위를 갖추고 백성들의 마음을 빼앗고 거짓 여론을 만들고 지도자들을 회유했습니다. 압살롬의 반역이 성공하고 다윗은 망명길에 오릅니다. 아직도 하나님 징계의 일부분입니다. 하나님은 이 상황에서도 다윗의 기도를 들으시고 '후새'를 보내 다윗의 보호막이 되게 하십니다. 하나님 은혜는 크고 깊으십니다.

오늘의 적용

하나님의 징계를 받아들이는 것도 믿음입니다. 나는 그 용기가 있습니까?

오늘의 기도

하나님, 징계 속에서도 긍휼히 여기시는 은혜를 주옵소서

사·무·엘·하

16장

본문 소개

자식들에게 무기력하던 다윗이 다시 전략적인 왕으로 회복되었습니다. 다윗은 선견자 사독과 아비아달 제사장, 지혜자 후새를 압살롬 왕궁에 남겨두었습니다. 그들을 통해 압살롬 진영의 움직임을 파악하고 대처하기 위함이었습니다.
망명길을 떠나는 다윗에게 여전히 충성된 사람들도 있지만 다윗을 비난하는 사람들도 있습니다. 다윗은 하나님의 주권에 모든 것을 맡기고 보복하지 않고 믿음으로 행동했습니다.

1. 다윗과 시바(16:1-4)

시바는 요나단의 아들 므비보셋의 땅 관리인입니다. 그가 큰 선물을 갖고 다윗을 찾아왔습니다.
다윗에게 충성심을 보이려는 행동이었습니다. 다윗이 "네 주인의 아들이 어디 있느냐?" 질문하자 시바는 거짓말로 "므비보셋이 자신의 정당한 왕권을 되돌려 받을 날이 왔다고 생각한다"라고 대답했습니다. '압살롬의 반란이 므비보셋의 왕권 회복의 기회'라는 시바의 말을 듣고 다윗은 모든 재산의 소유권을 시바에게 넘겨주었습니다. 거짓이지만, 이는 압살롬 편에 서는 자들에 대한 다윗의 경고였습니다.

2. 다윗과 시므온(16:5-14)

사울의 친척 시므이가 다윗의 행렬을 따라오며 비난과 저주를 퍼부었습니다. “피를 흘린 자여, 사악한 자여, 가거라” 아비새가 시므이를 죽이려 하자 다윗이 제지합니다. “그가 저주하는 것은 여호와께서 그에게 다윗을 저주하라 하심이니”. 다윗은 이 상황도 하나님 주권에 맡겼습니다. 우리도 이유 없이 분노하는 사람들을 주님께 맡겨야 합니다.

3. 압살롬과 후새(16:15-19)

압살롬이 예루살렘에 입성했을 때 환영 인파 가운데 후새를 발견합니다. 압살롬이 “어떻게 다윗을 배신할 수 있는가?” 질문하자, 후새는 압살롬에 대한 충성을 다짐하며, 압살롬을 속여 신임을 얻습니다.

4. 아히도벨의 계략(16:20-23)

다윗과 압살롬의 대결은 아히도벨과 후새, 두 전략가의 두뇌 싸움으로 전개됩니다. 압살롬 편에 선 아히도벨의 계략은 매우 뛰어나 하나님 사람의 지혜 수준이었습니다(23절). 아히도벨의 첫 번째 계략은 압살롬에게 다윗이 남겨둔 후궁들을 취하도록 했습니다. 왕의 후궁을 취하는 것은 새 왕이 정권을 잡았음을 선언하는 행동이었습니다. 나단 선지자가 말한 심판 징계가 진행되는 사건입니다(삼하 12:11~12).

성경 공부

문제❶ '시바'가 다윗에게 나귀와 음식을 가지고 찾아온 이유는? (16:1~4)

문제❷ 다윗을 저주하는 '시므이'를 벌하지 않은 까닭은? (16:9~10)

문제❸ 후새가 압살롬에게 거짓 충성 맹세를 하는 이유는? (16:16~19)

문제❹ 아히도벨이 압살롬에게 악한 계략으로 충동합니다. 무엇입니까? (16:21)

문제❺ 아히도벨의 계략에 대한 압살롬의 행동은? (16:22)

오늘의 묵상

망명하는 다윗을 시므이가 쫓아오며 저주의 말을 합니다. 그러나 다윗은 분노하는 부하를 제지하고 하나님이 허락하셨기에 그가 할 수 있는 행동이라고 받아들입니다. 다윗은 후새를 압살롬에게 보내며 견제하는 계획을 실행합니다.

아히도벨이 악한 생각으로 압살롬을 부추기고 압살롬은 해서는 안 될 죄를 저지릅니다. 이 역시 하나님의 심판과 징계였습니다.

오늘의 적용

시므이처럼 행동하는 사람을 다윗의 마음으로 받아들일 수 있겠습니까?

오늘의 기도

악한 생각이 지배하지 못하도록 말씀으로 무장하고 살겠습니다.

사·무·엘·하

17장

본문 소개

아히도벨의 모략은 하나님 사람의 지혜처럼 여겨졌습니다(16:23). 아히도벨이 압살롬에게 준 첫 번째 계략은 비인간적이며 하나님의 율법을 범한 죄의 행동이었습니다(레 20:11).

아히도벨의 두 번째 계략은 다윗이 보낸 전략가 후새에 의해 좌절되고 압살롬의 반란은 벽에 부딪히게 됩니다. 아히도벨을 막기 위해 후새를 보낸 다윗의 작전이 성공했습니다.

1. 아히도벨의 계략(17:1-4)

아히도벨의 두 번째 계략은 다윗을 향한 기습공격이었습니다. 다윗이 도주하느라 정신없을 때 대규모 군사가 기습 공격하여 다윗만 죽일 것을 제안했습니다. 다윗만 죽으면 모든 백성이 압살롬에게 돌아올 것으로 예상했습니다. 아히도벨은 다윗과 모든 상황을 잘 파악하고 있었으며 군사작전에 필요한 모든 예지력을 갖추고 있었습니다.

2. 후새의 계략(17:5-14)

압살롬은 후새의 계략도 듣기를 원했습니다. 하나님께서 압살롬에게 화를 내리시기로 작정하셨기 때문입니다(14절). 후새는 '다윗을 과소평가하지 말라, 다윗은 전쟁에 능한 지도자이므로 쉽게 공격했다가 실패할 수 있으므로 새로운 작전이 필요하다'라고 설명했습니다 (11~13절). 시간을 두고 이스라엘 모든 군사를 다 모은 후 압살롬이 직접 전쟁에 참가하여 백성들에게 압살롬이 이스라엘 왕임을 보여주라고 말하자 압살롬은 후새의 계략을 선택했습니다.

3. 후새의 정보(17:15-23)

후새는 즉시 제사장 사독과 아비아달을 통해 다윗에게 속히 강을 건너 도피할 것을 알렸습니다. 요나단과 아히마아스는 로겔 샘터에서 대기하고 있었습니다. 두 사람은 발각되어 압살롬 군대에 쫓기게 되었으나 부후림 마을 여인의 도움으로 빠져나가 다윗에게 소식을 전달했습니다.

다윗은 즉시 요단강을 건너 도피했으며, 아히도벨은 자신의 계략이 실패했음을 알고 고향으로 돌아가 자살했습니다.

4. 다윗과 압살롬 군대(17:24-29)

다윗은 무사히 요단강을 건넜고 압살롬이 군대를 이끌고 추격해 왔습니다.

다윗이 마하나임에 머물 때, 세 명의 이방인 지도자가 음식을 준비하여 다윗을 찾아왔습니다. 다윗에게 필요한 모든 것이 이방인의 도움으로 채워졌습니다. 하나님이 다윗을 돕고 계셨습니다.

성경 공부

문제❶ 아히도벨이 다윗을 죽이기 위해 압살롬에게 말한 계략은? (17:1~3)

문제❷ 그리고 후새가 압살롬에게 말한 계략은? (17:11~13)

문제❸ 압살롬과 백성이 후새의 전략을 택한 이유는? (17:14)

문제❹ 후새가 전해온 아히도벨의 계략을 들은 다윗의 행동은? (17:21~22)

문제❺ 아히도벨은 자기 계획이 실패하자 어떻게 합니까? (17:23)

오늘의 묵상

아히도벨의 계략은 하나님의 뜻을 넘어 악해집니다. 아무리 지혜로워도 선을 넘는 것은 용납하지 않으십니다. 하나님이 붙여주신 후새의 개입으로 다윗은 피할 시간을 얻고 결국 아히도벨의 계획은 실패합니다. 그리고 스스로 목숨을 끊었습니다. 다윗을 사랑하시는 하나님은 피난 중에서 도움의 손을 준비해 두셨습니다.

오늘의 적용

하나님이 주신 지혜를 어떻게 사용하고 있습니까?

오늘의 기도

늘 예비해 주시는 하나님의 은혜에 감사드립니다.

사·무·엘·하

18장

본문 소개

압살롬의 반란이 18장에서 끝납니다. 다윗의 일생에서 가장 수치스러운 두 아들의 탐욕과 반역, 죽음 이야기가 마무리되고 있습니다. 다윗의 범죄가 다윗의 가정에 어떤 진노와 징계를 가져왔는지 철저하게 깨달았습니다. "네 아내를 빼앗아 네 이웃에게 주리니..."(12:11) 그 이웃이 바로 다윗의 아들 압살롬이었습니다. 그러나 다윗의 충격과 아픔은 아직 끝나지 않았습니다.

1. 다윗의 군대(18:1-5)

다윗은 요압과 아비새, 잇대 세 사람을 군대 지휘관으로 세운 후 자신도 전쟁에 참가하겠다고 말했습니다. 그러나 백성들은 다윗의 전투 참가를 거부했습니다. 아버지 다윗이 보는 앞에서 압살롬을 죽일 수는 없었기 때문입니다. 다윗은 압살롬을 너그럽게 대하도록 부탁했습니다.

2. 다윗의 승리(18:6-8)

다윗과 압살롬, 아버지와 아들의 운명을 결정하는 전쟁에서 다윗 군대의 승리로 끝났습니다.

에브라임 숲은 지형이 험하고 구덩이가 많아 칼에 죽은 사람보다 수풀에서 죽은 사람이 더 많았습니다. 다윗의 죄로 인해 아들이 반역하고 그 반역으로 인해 2만여 명의 사람이 죽었습니다.

3. 압살롬의 죽음(18:10-16)

압살롬은 머리카락이 나무에 걸려 허공에 매달려 있었습니다. 풍성한 머리카락 때문에 유명했던 압살롬이 머리카락으로 인해 죽음에 이르게 됩니다. 군인들이 압살롬 죽이기를 주저하는 동안 요압이 압살롬을 죽였습니다.

요압이 나팔을 불어 전쟁을 끝냈습니다. 압살롬의 시체는 큰 돌무더기가 되었고 압살롬이 생전에 만들어 놓았던 비석이 자기 무덤에 세워졌습니다. 압살롬의 죽음으로 다윗의 저주 "칼과 아내"(12:10-12)의 저주가 끝났습니다.

4. 다윗에게 보고(18:17-33)

누가 다윗에게 압살롬 사망 소식을 전할 것인가? 전쟁에서 승리했지만 슬픈 승리였습니다.

제사장 사독의 아들 아히마아스가 자원하여 나섰지만 요압이 그를 말리고 구스(이디오피아)사람을 보냈습니다. 그러나 아히마아스는 가기를 간청하고 구스사람보다 먼저 달려가 다윗에게 전쟁의 승리를 알리며 다윗의 마음을 준비시켰습니다. 그리고 구스 사람이 와서 압살롬의 사망 소식을 알렸습니다.

다윗은 "내 아들아" 다섯 번이나 외치며 울었습니다. 다윗이 압살롬의 반역을 제압했지만, 반역한 아들은 죽었습니다.

성경 공부

문제❶ 다윗이 백성을 세 부대로 나눈 후 각각 누구에게 맡겼습니까? (18:1~2)

문제❷ 다윗은 전장에 나가는 군대에게 무엇을 부탁합니까? (18:5)

문제❸ 압살롬이 요압에게 죽임을 당하게 된 원인은? (18:9~15)

문제❹ 다윗이 소식을 전하는 두 사람에게 한 질문은? (18:29, 32)

문제❺ 압살롬이 죽었다는 소식을 들은 다윗의 행동은? (18:33)

오늘의 묵상

아들 압살롬과의 전쟁에 다윗의 참여를 사람들이 만류합니다. 아버지 앞에서 아들이 피 흘리는 것을 보여줄 수 없기 때문입니다. 전쟁은 다윗의 승리였고 노새를 타고 급히 도망가던 압살롬은 평소 자랑하던 풍성한 머리카락이 나뭇가지에 걸려 매달려 있었습니다. 요압이 압살롬을 죽이고 돌무더기를 만들어 무덤을 만들었고, 생전 압살롬이 자기를 위해 만들어 놓은 비석을 세웠습니다.

압살롬의 소식을 접한 다윗을 '내 아들 압살롬아'라고 다섯 번을 외칠 정도로 애통했습니다.

오늘의 적용

다윗의 범죄로 시작된 이 큰 비극을 보며 느끼는 것은?

오늘의 기도

주님, 죄를 미워하고 하나님의 뜻을 사랑하며 따르겠습니다.

사·무·엘·하

19장

본문 소개

다윗의 죄에 대한 심판과 징계로 암논과 압살롬 두 아들이 죽었습니다. 하나님은 다윗의 죄를 징계하시면서 다윗의 아들들이 서로를 죽이는 과정을 통해 솔로몬을 왕으로 세우시는 길을 준비하고 계셨습니다. 19~20장은 다윗이 다시 예루살렘으로 돌아가 나라를 회복하는 과정을 기록했습니다.

1. 다윗의 슬픔(19:1-8)

전쟁에서 승리했지만, 다윗의 슬픔은 백성들을 죄인처럼 만들었습니다. 요압이 다윗 왕을 찾아가 왕을 위해 목숨 바쳐 싸운 병사들을 부끄럽게 만들지 말 것을 요청하고, 지금 왕에 대해 오해하고 있는 군사들을 위로하지 않으면 또 다른 반란이 일어날 수 있음을 경고했습니다.

2. 다윗의 귀환(19:9-15)

북쪽 이스라엘 사람들은 압살롬이 죽었으니 다시 다윗을 왕으로 추대하여 예루살렘으로 모시자고 앞장서 결정했습니다. 다윗은 유다 사람들도 이 일에 동참하도록 지시했습니다. 또한 압살롬 군대 장관이었던 아마사를 요압의 자리에 등용하여 진정한 화합을 이루고자 했습니다.

3. 다윗을 기다리던 사람들(19:16-39)

다윗이 예루살렘으로 귀환하기 위해 요단강에 왔을 때 많은 환영 인파와 함께 다윗의 망명길을 힘들게 했던 사람들도 있었습니다.

1. 시므이(9:16-23). 다윗을 저주했던 시므이는 베냐민 사람 천명과 시바를 데려와 요단 도하를 도왔습니다. 다윗이 자신을 살려주면 베냐민 지파가 충성하겠다는 협상 제안이었습니다.
2. 므비보셋(19:24-30). 므비보셋은 다윗 왕이 망명을 떠난 날부터 슬픔 속에 지냈습니다(24절). 므비보셋은 시바가 왕을 속였다고 고백합니다. 다윗은 시바에게 속은 것을 알았지만 재산을 절반씩 나누게 했습니다. 시바에게 신세를 졌기 때문입니다.
3. 바르실래(19:31-39). 바르실래는 마하나임에서 다윗과 군대에게 음식을 제공했으며(17:27-29) 다윗의 요단 도하를 돕기 위해 다시 찾아왔습니다. 다윗이 예루살렘으로 초대했으나 그는 대신 아들을 보내 다윗을 정치적으로 돕게 했습니다.

4. 남북 관계(19:41-43)

다윗의 예루살렘 귀환에 누가 주동이었는가를 놓고 남북이 다퉜습니다. 남북의 오랜 갈등은 결국 솔로몬 이후 두 왕국으로 나눠지게 됩니다.

성경 공부

문제❶ 승리에도 불구하고 압살롬의 죽음이 백성에게 슬픔이 된 이유는? (19:2)

문제❷ 다윗에게 왕의 부하들을 위로하라고 조언한 사람은? (19:5~7)

문제❸ 전에 자기를 저주했던 시므이를 다윗이 용서한 이유는? (19:22)

문제❹ 시바의 거짓말과 달리 므비보셋은 어떻게 왕을 기다렸습니까? (19:24)

문제❺ 바르실래가 왕의 청을 거절하고 대신 보낸 아들은? (19:35~37)

오늘의 묵상

다윗이 압살롬의 죽음만을 슬퍼하는 것은, 전쟁에 참여 한 군인들의 충성을 부끄럽게 하는 것이라는 조언을 받아들이고 마음을 정리합니다. 북이스라엘이 앞장서서 다윗을 온 이스라엘의 왕으로 추대합니다. 다윗은 망명 때 자기를 대적했던 사람들을 용서하고 등용함으로 통일왕국의 참모습을 만들어갑니다. 새로운 인물들도 통일왕국의 일군으로 등장하지만, 남북의 갈등은 여전히 있었습니다.

오늘의 적용

다윗의 용서로 품는 마음이 주는 교훈은?

오늘의 기도

용서하고 품을 수 있는 주님의 마음을 주옵소서.

사·무·엘·하

20장

본문 소개

19~20장은 다윗의 예루살렘 귀환과 회복 이야기입니다. 유다 지파가 다윗의 귀환을 주관하자 먼저 제안했던 이스라엘 10지파가 불쾌하게 여겼습니다. 이런 분열의 상황에서 사울 왕이 속한 베냐민 지파 세바가 반란을 일으켰습니다. 세바는 다윗의 통치에 불만을 품은 사람들을 선동해 반역을 주도했습니다.

1. 세반의 반역(20:1-2)

반역자 세바는 불량배였습니다(삼상 2:12, 10:27). 불량배는 하나님을 두려워하지 않고 이기심과 탐욕에 빠진 사람을 뜻합니다. "우리는 다윗과 나눌 분깃도 받을 유산도 없다"라는 세바의 말에 온 이스라엘이 다윗을 떠났습니다. 유다 사람들은 다윗을 호위하고 예루살렘으로 갔습니다.

2. 다윗의 후궁(20:3)

압살롬에게 성폭행당한 후궁 열 명을 감금하고 평생 밖으로 나오지 못하게 했습니다. 이 열 명의 후궁은 다윗에게 지워질 수 없는 살아있는 죄의 흔적이었습니다.

3. 요압과 아마사(20:4-13)

압살롬을 죽인 요압을 다윗은 군대장관 자리에서 제외시키고 정치 화합의 차원에서 압살롬 군대 장관이었던 아마사를 요압의 자리에 앉혔습니다.

세바의 반란을 진압하기 위해 아마사에게 3일 내에 군대 모집을 명령했지만, 아마사는 시간을 지키지 못했습니다. 다윗은 아비새에게 세바 진압 전쟁을 명령했습니다. 왕의 군대가 기브온 큰 바위 곁에 이르렀을 때 아마사가 뒤늦게 찾아왔지만 요압은 속임수로 아마사를 죽였습니다. 다윗에게 요압은 또 다른 증거물이었습니다. 다윗에 대한 지나친 충성이 다윗을 괴롭혔습니다.

4. 세바 제압(20:14-22)

요압은 군대를 이끌고 세바가 군대를 모집하지 못하도록 여러 도시를 추격하다가 세바가 숨어있는 아벨 성을 포위했습니다. 요압이 성을 치려는 순간 지혜로운 여인이 요압을 찾아와 요압을 설득했습니다. 여인은 요압의 요구대로 세바를 내어주고 아벨 성읍 사람들의 생명도 구했습니다. 다윗 주변에 있었던 아비가일(삼상 25장), 드고아 여인(삼하 14장)과 아벨 성의 여인처럼 지혜로운 사람이 필요합니다.

5. 다윗 국무위원(20:23-26)

8:15-18 국무위원 명단과 대조되는 군사, 종교, 행정 관료를 소개하고 있습니다.

성경 공부

문제❶ 반역을 일으킨 사람은 누구입니까? (20:1)

문제❷ 후궁들을 별실에 평생 가두도록 명한 이유는? (20:3)

문제❸ 아마사가 지체하자 대신 책임을 맡은 사람은? (20:6)

문제❹ 한 지혜로운 여인이 성의 사람들을 살리기 위해 한 행동은? (20:22)

문제❺ 다윗이 세운 관리의 이름과 직위를 써보십시오. (20:23~26)

오늘의 묵상

남북의 갈등 속에 '세바'가 새로운 반역 세력으로 떠오릅니다. 이스라엘 백성이 그를 따랐습니다. 다시 전쟁이 일어나고 다윗의 군대는 세바 무리를 좇았습니다. 요압의 군대 장관 자리로 임명된 아마사는 요압에 의해 죽임을 당합니다. 요압의 지나친 충성심이 문제였습니다. 한 지혜로운 여인의 선택과 결단으로 반역한 세바의 목을 얻고, 자칫 피 흘릴 뻔한 많은 백성의 생명을 살리게 됩니다.

오늘의 적용

주변에 지혜로운 사람들이 필요하지만 내가 먼저 하나님의 지혜로 무장해야 합니다. 왜 그렇습니까?

오늘의 기도

하나님 말씀을 마음에 새기기 위해 성경 암송에도 힘쓰겠습니다.

사·무·엘·하

21장

본문 소개

다윗의 마지막 이야기가 전개됩니다. 다윗은 하나님 주권에 더 힘써 복종했습니다. 다윗 인생은 하나님의 섭리와 함께 만들어졌습니다. 다윗의 죄와 연약함, 실수에도 불구하고 하나님은 포기하지 않으시고 다윗과 함께하셨습니다. 다윗이 하나님 마음에 합한 사람이었기 때문입니다. 21~24장은 사무엘서 부록처럼 기록되었습니다.

1. 3년의 기근(21:1-14)

3년 가뭄과 기근은 사울이 기브온 족속에게 큰 고통을 준 것에 대한 징계였습니다.

❶ 기브온의 요구(21:3-9). 인종청소를 당한 기브온 족속은 똑같은 대가로 일곱 명의 사울 집안사람을 요구했습니다. 다윗은 요나단과의 언약에 따라 므비보셋을 제외하고 사울의 일곱 아들을 내주자, 기브온 족속이 나무에 매달아 원한을 갚았습니다.

❷ 리스바의 모정(21:10-14). 기브온 사람들이 매단 시체를 몇 달 동안 지켰던 여자가 있었는데 사울의 첩 리스바였습니다. 다윗이 그들의 시체와 블레셋 사람들에게서 몰래 가져온 사울과 요나단의 뼈를 함께 장례한 후에 비가 내렸습니다.

2. 다윗의 용사들(21:15-22)

블레셋과의 두 번의 전투를 통해 거인족 장군들을 어떻게 제거했는지 말하고 있습니다.

❶ 첫 번째 전투(21:15-17). 블레셋 거인족의 아들 이스비브놉이 다윗이 피곤한 틈에 다윗을 죽이려 했지만, 아비새가 다윗을 보호했습니다. 용사들은 다윗에게 "왕은 등불입니다. 이스라엘의 등불이 꺼지지 않도록 전쟁에 참가하지 말 것"을 요청했습니다.

❷ 두 번째 전투(21:18-22). 블레셋과의 계속된 전쟁에서 이스라엘 용사들이 거인족 네 명을 죽이고 승리를 거두었습니다. 하나님은 블레셋과 전쟁할 때마다 다윗과 그의 용사와 함께하셨고 블레셋 거인들에 대해 승리를 주셨습니다.

다윗은 이스라엘 땅에 임한 기근의 원인을 하나님께 찾았고 그 문제를 해결했으며, 블레셋 거인족 장군들을 제거함으로 이스라엘을 블레셋 위협으로부터 보호했습니다.

다윗은 이스라엘 목자(왕)로, 자연재해와 백성들의 원한, 주변 국가의 위협에서 자기 백성을 돌보는 하나님의 종이었습니다.

성경 공부

문제❶ 다윗 시대에 3년 기근이 임한 원인은? (21:1)

문제❷ 기브온 사람이 다윗에게 요구한 것은? (21:6)

문제❸ 아야의 딸 리스바가 한 행동은? (21:10)

문제❹ 일곱 시신과 사울과 요나단의 뼈를 어디에 장사합니까? (21:13~14)

문제❺ 가드의 거인족 이름과 다윗의 용사들 이름을 써보십시오. (21:15~22)

오늘의 묵상

3년 기근의 원인이 과거 사울 왕이 기브온에 고통을 준 것 때문이었고, 다윗은 억울함을 해결하지만 그 과정에서 또 다른 슬픔이 이어집니다. 다윗은 블레셋과의 전쟁에서 승리를 거둡니다. 다윗과 함께했던 신실한 용사들이 있었습니다.

오늘의 적용

예수님을 믿기 전의 죄도 회개해야 합니다. 어떻게 해결하겠습니까?

오늘의 기도

잊고 있었고 자각하지 못했던 죄를 회개합니다.

사·무·엘·하

22장

본문 소개

22장은 하나님께서 모든 원수와 사울의 손에서 건져 주셨을 때 다윗이 부른 찬양으로, 시편 18편과 같은 내용입니다.
다윗이 경험한 구원과 해방은 하나님의 주권과 돌보심이었습니다. 다윗은 하나님이 이스라엘을 통치하시는 진정한 왕이시므로 하나님을 바라보고 의지할 것을 찬양했습니다. 구원자 하나님이 이스라엘의 내일도 인도해 주실 것을 확신했습니다.

1. 나의 구원자(22:1-3)

구원자 하나님이 어떤 분이신지를 묘사했습니다. 반석, 요새, 건지시는 자, 피할 나의 반석, 나의 방패, 나의 구원의 뿔, 나의 높은 망대, 나의 피난처 이신 하나님이 다윗을 구원하셨으며 오늘 우리도 구원하고 계십니다.

2. 구원하시는 하나님(22:4-19)

불의의 창수, 사망의 물결, 스올의 줄, 사망의 올무에서 다윗이 기도할 때마다 하나님께서 구원하시러 내려오셨습니다. 하나님께서 그의 자녀들을 돌보기 위해 찾아오시는 모습은 장엄하고 웅장합니다.
하나님이 그룹을 타고 오시고 천재지변을 일으키며 자기 백성을 구원하시고 붙드시고, 보호하시고, 건져내셨습니다.

3. 내게 갚으시는 하나님(22:20-28)

하나님은 내가 행한 대로 갚으시고 상 주시는 분이십니다. 하나님이 다윗을 위하여 이루신 구원은 다윗의 의로움을 인정하시고 상급으로 베푸신 은혜였습니다. 신실한 자들은 하나님의 신실하심을 체험하게 되고, 깨끗한 사람은 하나님의 깨끗하심을 볼 것이며 교만한 사람들은 하나님이 낮추셔서 하나님의 엄중하심을 보게 하실 것입니다.

4. 나의 등불이신 하나님(22:29-37)

하나님은 다윗의 등불이 계속 타도록 도우셨습니다. 등불이 계속 타는 사람들을 하나님이 높이시고, 넓히시고, 유능하게 해주시는 사람들입니다.

하나님을 계속 의지하고, 하나님 말씀에 충실한 사람들의 등불을 하나님은 계속 타오르게 만들어주십니다.

5. 전쟁에 능하게 하시는 하나님(22:38-51)

하나님이 다윗을 전쟁에 능한 자로 만드셨으며 원수들을 굴복하게 하시고, 적군을 다윗의 발 앞에 굴복하게 하셨습니다. 또한 백성의 다툼에서 건져내시고, 모든 민족의 으뜸으로 삼으셨습니다. 하나님은 그를 의지하는 자들에게 큰 구원을 주시는 하나님이십니다.

성경 공부

문제❶ 이 찬양 시의 배경은? (22:1)

문제❷ 다윗이 하나님을 어떻게 부르고 있습니까? (22:2~3)

문제❸ 누가, 무엇이 되어 다윗의 어둠을 밝혀 주셨습니까? (22:29~30)

문제❹ 다윗이 대적을 물리친 힘의 원천은? (22:32~46)

문제❺ 크고 위대하신 은혜의 하나님을 향한 다윗의 고백은? (22:50)

오늘의 묵상

하나님은 다윗에게 구원자셨습니다. 사망의 올무에서도 건져 주시는 구원의 하나님이셨습니다. 행한 대로 갚아주시는 하나님이셨습니다. 등불이 되어 주셨습니다. 전쟁에 능하게 하신 하나님이셨습니다.
다윗은 자기와 그리고 후손에게까지 은혜 베푸실 하나님을 찬양합니다.

오늘의 적용

하나님은 내게 어떤 분이신지 다윗의 고백을 보면서 써보십시오.

오늘의 기도

나를 사랑하셔서 구원하신 하나님 은혜를 영원히 찬양하겠습니다.

사·무·엘·하

23장

본문 소개

22장에서 다윗은 하나님은 나의 구원자, 나의 등불을 계속 켜주시는 분, 전쟁에 능하게 하신 분으로 찬양했습니다. 23장에서 다윗은 하나님이 자신을 쓰셨던 두 가지 조건을 설명했습니다. 두 가지 조건은 <언약과 용사들>입니다.

다윗은 하나님이 자신과 후손들에게 허락하신 언약을 영원히 지켜주실 것을 간구하고 있으며, 다윗에게 주신 삼십 명의 용사들에 대해 그 이름과 충성됨을 설명했습니다.

1. 다윗의 언약(23:1-7)

다윗의 마지막 노래는 '메시아의 예언'입니다. 예수님도 메시아 예언으로 해석하셨습니다.

❶ 다윗의 정체성(23:1-2). 다윗을 가장 높은 자로 세우신 것은 하나님의 섭리였습니다. 다윗은 하나님이 높이 세우신 용사이며, 기름부으신 자, 노래 잘하는 자로 자신을 소개했습니다.

❷ 하나님의 통치(23:3-4). 하나님은 두 가지 통치를 원하셨습니다. 첫째, 공의로 다스리는 것, 둘째, 하나님을 두려워하며 다스리는 것을 원하셨습니다. 공의와 두려움으로 통치하는 자는 사람들에게 생명과 빛을 주는 통치자입니다.

❸ 다윗의 언약(23:5-7). 다윗 왕조의 미래는 하나님과 맺은 영원한 언약에 달려 있습니다. 다윗이 하나님의 언약에 충실할 때 하나님께서도 다윗에게 그 언약을 지키실 것입니다.

2. 다윗의 용사들(23:8-39)

하나님이 다윗을 영광스럽게 하실 수 있었던 것은 다윗을 위해 목숨을 바친 용사들이 있었기 때문입니다. 하나님이 그들을 통해 승리를 주셨습니다.

❶ 세 용사(23:8-12). 다윗의 용사 중에 가장 용감한 세 용사를 먼저 소개하고 있습니다. 요셉밧세벳. 엘르아살. 삼마. 세 용사는 모두 블레셋과 전쟁에서 큰 공을 세운 사람입니다

❷ 세 용사(23:13-17). 삼십 용사 중 세 용사가 보여준 다윗에 대한 충성심을 예로 들었습니다. 블레셋과 전쟁 중 다윗이 고향 베들레헴 우물물에 대해 말하자, 세 용사가 목숨을 걸고 블레셋 군대를 뚫고 베들레헴 우물물을 길어온 사건을 통해 다윗에 대한 용사들의 충성심을 보여주었습니다.

❸ 삼십 용사들(23:18-39). 다윗의 최고 용사들 37명 명단이 소개되었습니다. 37명인데 30명(13, 23절)이라고 쓴 까닭은, 많은 용사 중에 세 용사라는 표현과 비슷한 이유인 것 같습니다.

성경 공부

문제❶ 다윗이 자기를 어떻게 소개합니까? (23:1)

문제❷ 다윗은 장차 오실 메시아를 어떻고 소개합니까? (23:4)

문제❸ 다윗의 세 용사 이름을 써보십시오. (23:8~12)

문제❹ 세 용사가 가져온 베들레헴 우물물을 여호와께 드린 이유는? (23:16~17)

문제❺ 다윗의 용사 수는 몇 명입니까? (23:39)

오늘의 묵상

다윗을 세우신 것은 하나님의 섭리였습니다. 하나님은 다윗이 첫째, 공의로 다스리고 둘째, 하나님을 두려워하며 다스리길 원하셨습니다. 하나님에 대한 공의와 두려움을 가진 사람은 사람들에게 생명과 빛을 줍니다. 다윗은 하나님과의 언약에 충실했고 하나님께서도 다윗과의 언약을 지키셨습니다. 다윗은 자기와 함께 했던 용사들도 잊지 않았습니다.

오늘의 적용

하나님의 공의와 정의를 따라 살고 있습니까?

오늘의 기도

하나님을 두려워하는 마음으로 하나님 의를 행하겠습니다.

사·무·엘·하

24장

본문 소개

21장에서 사울의 죄로 인해 3년 동안 가뭄과 기근이 있었던 사건을 보여주었고, 24장에서는 다윗의 죄로 인해 3일 동안 이스라엘에 전염병 재앙이 임했던 사건을 기록했습니다.
사무엘하를 다윗의 범죄로 끝내는 이유는 성숙한 신앙은 죄와 하나님의 심판에 대해서 자신을 하나님께 복종시킬 줄 아는 사람이기 때문입니다. 다윗은 성숙한 하나님의 종이었습니다.

1. 인구조사(24:1-9)

하나님이 이스라엘을 징계하시기 위해 다윗에게 인구조사를 부추기셨다고 했습니다. 모세가 행한 인구조사는 하나님의 지시로 했지만, 다윗은 자신의 위상과 업적을 자랑하기 위해 인구조사를 했습니다.
율법은 인구조사를 할 때마다 20세 이상 성인은 2분의 1세겔 속전을 성전에 바칠 것을 명령했습니다(출 30:11-16). 다윗은 율법을 어기고 10개월 동안 인구조사를 했습니다. 인구조사 결과 이스라엘에 80만, 유다에 50만 장정이 있었습니다. 그 결과로 추산하면 이스라엘 인구는 약 500만 명입니다.

2. 죄와 심판(24:10-17)

다윗은 즉시 죄를 깨닫고 "내가 큰 죄를 지었습니다. 내가 미련하게 행하였나이다" 자백했습니다. 하나님은 선지자를 통해 세 가지 징계 중 하나를 선택하라고 말씀하셨습니다. 첫째, 7년 동안의 흉년. 둘째, 석 달 동안 다윗이 원수들에게 쫓기는 것. 셋째, 3일 동안 전염병이 이스라엘에 임하는 것. 다윗은 세 번째 징계를 선택했습니다.

다윗은 하나님의 긍휼을 의지하고 인간의 손이 아니라 하나님의 손에 벌을 받겠다고 대답했습니다(14절).

심판의 천사가 전염병으로 치자 7만 명이 사망했습니다. 하나님이 예루살렘 아라우나의 타작마당에서 심판을 멈추셨습니다.

3. 타작마당 제단(24:18-25)

선지자 갓이 다윗에게 아라우나의 타작마당에 제단을 쌓을 것을 지시했습니다. 다윗은 소와 땅값으로 은 50 세겔을 치르고 하나님께 제물을 드렸습니다. 다윗은 범죄에 대해 인정할 줄 알았고 하나님은 다윗을 용서하셨습니다. 다윗은 이 장소를 훗날 솔로몬에게 성전 터로 지정했습니다(대상 22:1). 다윗은 밧세바와의 범죄로 솔로몬이 태어나고, 인구조사 범죄로 성전 터를 준비하게 되었습니다.

성경 공부

문제❶ 다윗이 이스라엘과 유다의 인구조사를 한 이유는? (24:1)

문제❷ 인구조사 결과 전쟁에 참여할 수 있는 백성의 수는? (24:9)

문제❸ 갓이 다윗에게 제시한 3가지 재앙은? (24:13)

문제❹ 다윗이 선택한 재앙과 이유는? (24:13~17)

문제❺ 다윗이 제단을 쌓자 하나님은 어떻게 하셨습니까? (24:25)

오늘의 묵상

다윗의 인구조사는 자기 위상을 확인하려는 교만이었습니다. 요압은 "하나님이 원하시면 얼마든지 백배나 더하게 하실 수 있는데 왜 인구조사를 하십니까?"라고 조언했지만, 다윗은 강행합니다. 다윗의 범죄는, 하나님의 심판과 다윗의 회개, 그리고 하나님의 용서로 이어집니다. 다윗은 자신의 죄를 인정할 줄 아는 사람이었습니다.

오늘의 적용

나는 잘못을 잘 인정합니까?

오늘의 기도

옳은 조언에 귀를 기울이도록 하겠습니다.

1장

❶ 한나, 브닌나 / 한나
❷ 엘리, 홉니와 비느하스
❸ 한나에게는 제사 때에 갑절을 주었기 때문에, 한나는 울고 먹지 않았다.
❹ 아들을 주시면, 여호와께 드리고 삭도를 그 머리에 대지 아니하겠나이다.
❺ 내가 여호와께 그를 구하였다 / 하나님께서 들으셨다.

2장

❶ 죽이기도 하시고, 살리기도 하시며, 스올에 내리게도 하시고, 올리기도 하시고, 가난하게도 하시고, 부하게도 하시며 낮추기도 하시고, 높이기도 하신다.
❷ 여호와의 제물을 강탈하였다.
❸ 사람이 사람에게 범죄 하면 하나님이 심판하시지만, 만일 사람이 여호와께 범죄하면 피할 길이 없다.
❹ 제사 절차를 무시했고, 자기 아들을 하나님보다 더 중히 여겼다.
❺ 나를 존중히 여기는 자를 내가 존중히 여기고 나를 멸시하는 자를 내가 경멸하리라.

3장

❶ 그 시대의 타락하고 부패한 영적 상황을 암시해 주는 말로, 말씀이 희귀했다는 것은 영적, 도덕적 타락에 대한 하나님의 심판입니다. 하나님 말씀이 없는 기근 상태이며, 하나님의 뜻을 전하는 자가 없었다는 뜻.
❷ 하나님과의 개인적인 경험을 전혀 갖지 못했기 때문에.
❸ 네 번 사무엘을 부르심(4, 6, 8, 10절).
❹ 엘리의 집을 영원토록 심판하겠으며, 엘리 집의 죄악은 제물로나, 예물로나 영원히 속죄함을 받지 못하리라.
❺ 여호와께서 그와 함께 계셔서 그의 말이 하나도 떨어지지 않았기에

4장

❶ 여호와께서 도우셨음을 기념하기 위한 장소로 그 뜻은 도움의 돌.
❷ 전쟁에 나갈 때 언약궤를 동반하지 않았기 때문에.
❸ 자기들의 죄는 회개하지 않고 법궤만 의존했기 때문에

❹ 이스라엘이 3만 명의 희생자를 냈고, 두 아들 홉니와 비느하스가 죽었고, 하나님의 궤는 빼앗겼고, 엘리도 목이 부러져 죽었다.

❺ 이가봇 : 영광이 이스라엘에서 떠났다.

5장

❶ 아스돗, 다곤 신전이 있는 곳

❷ 첫날 : 여호와의 궤 앞에서 다곤이 엎드러져 얼굴이 땅에 닿음.

둘째 날 : 그 얼굴이 엎드러져 땅에 닿았고, 그 머리와 두 손목은 끊어져 문지방에 있고, 다곤의 몸뚱이만 그 자리에 있었다.

❸ 독한 종기의 재앙으로 망하게 했다.

❹ 이스라엘의 신이 다곤으로 말미암아 노한 것으로 보고 다곤의 신당이 없는 가드로 옮겼다.

❺ 하나님의 궤를 본래 있던 자리로 옮겨 블레셋 중에 임한 징벌을 면하게 하자고 결정했다.

6장

❶ 일곱 달

❷ ① 여호와의 성물에 대하여 부지중에 범죄 하였을 때 드리는 제사.

② 타인의 권리나 재물을 침해하였을 때 드리는 희생의 제사.

❸ 블레셋 방백의 수효대로 금 독종 다섯과 금 쥐 다섯의 형상

❹ 법궤 실은 수레를 끄는 암소들이 가던 길을 지체하지 않고 수레를 끌고 이스라엘 지경으로 향하여 간다면 블레셋 사람들에게 내린 재앙이 여호와로부터 온 것임을 알 수 있다고 했다.

❺ 기랏여아림으로 보내기로 했다.

7장

❶ 기랏여아림 아비나답의 집, 20년 동안

❷ ① 전심으로 여호와께 돌아가는 것

② 이방 신들을 제거하는 것

③ 아스다롯을 제하는 것

④ 마음을 여호와께로 향하는 것

⑤ 오직 여호와만 섬기는 것
＊시작은 우상을 제거하는 데서부터.

❸ 미스바에서 모였으며, 물을 길어 여호와 앞에 붓고, 금식하고 회개했다.

❹ 쉬지 않고 부르짖어 블레셋 사람들의 손에서 구원하도록 기도를 요청했다.

❺ 하나님은 블레셋 사람들을 큰 우레를 발하여 어지럽게 하셨으며 그들이 이스라엘 앞에 패하였다.

8장

❶ 이익을 따라 뇌물을 받고 판결을 굽게 하였다.

❷ 왕 / 당신의 아들들이 당신 같지 않습니다.

❸ 백성들이 나(하나님)를 버려 왕이 되지 못하게 하려는 것이다.

❹ 아들들 : 병거와 말을 어거하고, 병거 앞에서 달리고, 천부장 오십 부장을 삼고, 밭을 갈고, 추수를 하게하고, 무리를 만들게 하고.
딸 들 : 향료를 만들고, 요리하는 자, 떡 굽는 자.
백성들 : 과중한 세금, 노동력 동원.

❺ 다른 나라같이 우리를 다스리고, 우리 앞에 나가 우리의 싸움을 싸우도록.

9장

❶ 베냐민 지파 기스의 아들

❷ 선지자(선견자)

❸ 베냐민 땅에서 한 사람이 찾아오면 기름 부어 이스라엘의 지도자로 삼으라.

❹ 사흘 전에 잃은 네 암나귀들은 찾았느니라.

❺ 나는 이스라엘 지파 중 가장 작은 베냐민 지파며, 베냐민 지파 중 가장 미약한 가족 중에 속한 자입니다.

10장

❶ 하나님의 기업의 지도자 / 왕

❷ 여호와의 영이 크게 임하여 예언을 하고, 변하여 새사람이 되리라.

❸ "너는 기회를 따라 행하라. 하나님이 너와 함께"

❹ 하나님을 버리고 왕을 세우라 하는 도다.

❺ 마음이 하나님께 감동된 유력한 자

11장

❶ 왕의 역할을 발휘할 기회.

❷ 하나님의 영에게 감동됨.

❸ 하나님께는 승리의 영광을, 반대자들에게는 관용을 베풀었음.

❹ 모든 사람이 기쁨으로 사울을 왕으로 삼음

12장

❶ 하나님

❷ 예수 그리스도

❸ 사사

❹ 여호와

❺ 오직 여호와를 경외하며, 마음을 다하여 진실히 섬기라.

13장

❶ 기다리지 않고 사무엘이 드릴 제사를 드린 것.

❷ 백성은 내게서 흩어지고 / 당신은 정한 날 안에 오지 아니하고 / 블레셋 사람은 믹마스에 모였음을 보고.

❸ 여호와께서 왕에게 내리신 명령을 지키지 않아서.

❹ 여호와의 마음에 맞는 사람.

❺ 무력 항쟁을 막으려고.

14장

❶ 할례받지 않은 자들 / 여호와께서 우리를 위해 일하실 것.

❷ 당신의 마음에 있는 대로 다 행하여 앞서가소서. 내가 당신과 마음을 같이하여 따르리이다.

❸ 표징(하나님의 인도)

❹ 이방 왕들처럼 자신의 왕위를 위해 싸움.

❺ 요나단

15장

❶ 겐 족속

❷ 아각

❸ 가치 없고 낮은 것

❹ ① 여호와가 사울을 버림. ② 더 이상 왕이 되지 못하게 하심

❺ 사울을 위하여 슬퍼했기 때문(사울 때문에 마음이 아팠기 때문)

16장

❶ 암송아지 한 마리를 끌고 가서 주님께 희생제물을 바치러 왔다 하고, 그 자리에 이새를 초청할 것

❷ 중심

❸ 빛이 붉고 눈이 빼어나고 얼굴이 아름답다.

❹ 용기와 무용과 구변이 있는 준수한 자

❺ 자기의 무기를 드는 자

17장

❶ 골리앗

❷ 8명

❸ 엘리압, 아비나답, 삼마

❹ 엘리압, '나는 네 교만함과 네 마음의 완악함을 아노니 네가 전쟁을 구경하러 왔도다'

❺ 너는 칼과 창과 단창으로 내게 나아오거니와 나는 만군의 여호와의 이름 곧 네가 모욕하는 이스라엘 군대의 하나님의 이름으로 네게 나아가노라

18장

❶ 자기 생명같이 사랑하느니라.

❷ 지혜로움

❸ '사울이 죽인 자는 천천이요. 다윗은 만만이로다.'

❹ 여호와께서 함께 계시므로/다윗이 크게 지혜롭게 행함을 보고

❺ 메랍

19장

❶ '다윗을 죽이겠다.'

❷ 창에서 다윗을 달아 내려서 도피를 시킨다.

❸ 라마

❹ 3차례

❺ '사울도 선지자 중에 있느냐?'

20장

❶ '나와 죽음의 사이는 한 걸음뿐이니라.'

❷ 에셀 바위

❸ 화살을 주우러 가는 아이에게 '화살이 네 앞쪽에 있다'라고 말함

❹ '단창을 던져 죽이려 한지라'

❺ '여호와께서 영원히 나와 너 사이에 계시고 내 자손과 네 자손 사이에 계시리라'

21장

❶ 아히멜렉

❷ 진설병 곧 여호와 앞에서 물려낸 떡 (더운 떡을 드리는 날에 물려낸 것)

❸ 에돔 사람 도엑

❹ 블레셋 사람 골리앗의 칼

❺ 아기스

22장

❶ 다윗의 부모와 형제, 환난 당한 자, 빚진 자, 원통한 자

❷ 헤렛 수풀

❸ 여호와께 묻고, 음식도 주고, 골리앗의 칼도 줌

❹ 도엑, 팔십 오명.

❺ 아비아달

23장

❶ 그일라

❷ 기도(여호와께 묻자와, 여호와께 다시 묻자온대)

❸ 사울의 아들 요나단

❹ 십 사람들

❺ 셀라하마느곳

24장

❶ 삼천 명

❷ '여호와께서 원수를 네 손에 넘기리니' 이것이 그날이니이다.

❸ 여호와의 기름 부음 받은 자를 치는 것은 여호와께서 금하시는 것

❹ 너는 나보다 의롭다.

❺ 사울과 그 후손을 멸하지 않겠다.

25장

❶ 바란 광야

❷ 주인에게서 떠나는 종이 많도다. 알지 못하는 자에게 주겠느냐

❸ 칼

❹ 떡 이백덩이 / 포도주 두 가죽 부대 / 요리한 양 다섯 마리 / 볶은 곡식 다섯 스아 / 건포도 백송이 / 무화과 뭉치 이백 개

❺ 몸이 돌과 같이 되어 죽음

26장

❶ 3,000명

❷ 아비새

❸ 여호와의 기름 부음 받은 자이기 때문에

❹ 창과 물병

❺ 메추라기와 벼룩

27장

❶ 블레셋 땅 가드의 아기스 왕

❷ 아히노암, 아비가일

❸ 시므온 지파, 유다 지파

❹ 일 년 사 개월

❺ 그술 사람, 기르스 사람, 아말렉 사람

28장

❶ 당신의 생각을 기록하십시오.

❷ 사무엘을 불러 달라

❸ 여호와의 목소리를 순종하지 아니하고 그의 진노를 아말렉에게 쏟지 아니함

❹ 내일 전쟁에서 죽는다(내일 너와 네 아들들이 나와 함께 있으리라).

29장

❶ 아벡

❷ 이스르엘 샘 곁

❸ 돌려보내소서.

❹ 사울이 죽인 자는 천천이요 다윗이 죽인 자는 만만이로다.

❺ 정직하며 악이 없음

30장

❶ 아말렉 사람

❷ 아히노암, 아비가일

❸ 여호와를 힘입고 용기를 얻음

❹ 육백 명

❺ 동일하게 분배

31장

❶ 길보아 산

❷ 자신 칼 위에 엎드러져 죽음

❸ 벧산 성벽에 못 박힘

❹ 길르앗 야베스 주민

❺ 야베스 에셀 나무 아래

1장

❶ 사울의 왕관과 팔에 있는 고리
❷ 옷을 잡아 찢고 슬퍼하여 울며 금식
❸ 여호와의 기름 부음 받은 자를 죽이기를 두려워하지 않았기에
❹ 사울과 요나단의 죽음을 슬퍼하며
❺ 여인의 사랑보다 더함

2장

❶ 헤브론
❷ 이스보셋
❸ 헬갓 핫수림
❹ 아사헬
❺ 360명

3장

❶ 다윗은 점점 강하여 가고 사울의 집은 점점 약하여 감
❷ 암논, 길르압, 압살롬, 아도니야, 스바댜, 이드르암
❸ 다윗의 왕위를 단에서 브엘세바까지 이스라엘과 유다에 세움
❹ 미갈의 남편 발디엘에게서 빼앗아 데려옴
❺ 동생 아사헬의 피로 말미암아

4장

❶ 바아나, 레갑
❷ 므비보셋
❸ 이스보셋
❹ 헤브론 못 가
❺ 아브넬의 무덤

5장

❶ 40년 / 헤브론에서 7년 6개월 / 예루살렘에서 33년

❷ 수도를 예루살렘으로 옮김(예루살렘 정복)

❸ 만군의 하나님 여호와께서 함께 계시기 때문에

❹ 내 앞에서 내 대적을 흩으셨다.

❺ 여호와의 명령에 순종하며 싸웠다.

6장

❶ 죽음

❷ 웃사를 치심

❸ 그의 온 집에 복을 주심

❹ 여호와 앞에서 힘을 다하여 춤을 춤

❺ 여호와 앞에서

7장

❶ 성전 건축

❷ 장막과 성막

❸ ① 내가 네 이름을 위대하게 만들어 주겠다(9절).

② 내가 내 백성 이스라엘을 위해 한 곳을 정해 그를 심으리라(10절)

③ 너를 모든 원수에게서 벗어나 편히 쉬게 하리라(11절)

④ 수한이 차서 네 조상들과 함께 누울 때에 내게 네 몸에서 날 씨를 네 뒤에 세우리라 (12절)

⑤ 다윗의 씨앗이 여호와를 위하여 집을 건축할 것이라(13절)

⑥ 나는 그에게 아버지가 되고 그는 내게 아들이 되리라(14절)

⑦ 네 집과 네 나라가 내 앞에서 영원히 보전되고 네 왕위가 영원히 견고하리라(16절)

❹ 나단

❺ 네 몸에서 날 네 씨(솔로몬)

8장

❶ 여호와께서 이기게 하셨기 때문

❷ 병마를 많이 두지 말라는 하나님의 명령 때문에

❸ 은그릇, 금 그릇, 놋그릇

❹ 여호와께 드렸음

❺ 정의와 공의

9장

❶ 요나단으로 말미암아 그에게 은총을 베풀려고

❷ 사울 가문의 종 시바

❸ 하나님의 은총

❹ 사울의 손자 요나단의 아들 므비보셋

❺ 다윗의 아들과 같은 왕자로

10장

❶ 다윗이 나하스로 부터 은총을 받았기 때문

❷ 성을 엿보고 탐지하고 함락시키기 위해 보낸 것으로 오해함

❸ 수염 절반을 깎고 하체가 드러나도록 옷을 잘랐다 / 매우 큰 모욕을 주었다.

❹ 3만 3천 명

❺ 12절

11장

❶ 전투에 참여하지 않은 것

❷ 전쟁터에 나가 있는 밧세바의 남편 우리아를 불러 집으로 보내고자 함

❸ 우리아를 맹렬한 싸움에 앞세워 맞아 죽게 함

❹ 이 일로 걱정하지 말라 칼은 이 사람이나 저 사람이나 삼키느니라. 그 성을 향하여 더욱 힘써 싸워 함락시키라

❺ 여호와 보시기에 악하였다.

12장

❶ 부자가 가난한 자의 하나뿐인 양을 빼앗아 자기 손님을 접대한 이야기.

❷ 하나님께서 다윗을 왕으로 삼고 모든 것을 부족함이 없이 주셨으나, 우리아를 죽이고 그의 아내를 빼앗은 죄

❸ 다윗 집에 칼이 떠나지 아니하고 아내를 빼앗아 이웃에게 주실 것.

❹ 자신의 죄를 인정하고 고백했다.

❺ 솔로몬이라는 아들을 주셨다.

13장

❶ 울화로 말미암아 병이 났다.

❷ 암논은 아버지 다윗에게 다말을 시켜서 자신의 병간호를 하게 해달라고 함

❸ 이런 일은 이스라엘 중에 마땅히 행하지 못할 일이니 어리석은 일을 행하지 말라

❹ 친오빠 압살롬에게 갔다. 원수를 갚아줄 책임이 오빠에게 있기 때문

❺ 자신의 양털 깎는 일에 왕자들을 초청한 후 종들을 시켜 형 암논을 죽임

14장

❶ 드고아에 사는 지혜로운 여인에게 상복을 입게 하고 할 말을 알려주어서 다윗에게 보냄

❷ 자신은 과부로서 두 아들이 있는데 한 아들이 다른 아들을 들에서 죽여서 온 족속이 남은 아들을 죽이려고 함. 그 아들이 죽게 되면 자손을 이을 수 없음을 호소함

❸ 다윗이 도망간 아들 압살롬을 집으로 돌아오게 허락하지 않은 것

❹ 압살롬을 집으로 돌아가게 하고 자기 얼굴을 보지 못하게 했다.

❺ 아들 압살롬을 불러 그에게 입을 맞추고 화해했다.

15장

❶ 병거와 말들과 호위병 50명

❷ 이스라엘 사람들의 마음을 훔치기 위해서(다윗 왕보다 자신을 더 따르게 만들기 위해)

❸ 헤브론에서 들려오는 나팔 소리를 신호로 압살롬이 헤브론에서 왕이 되었다 외치게 함

❹ 후궁 열 명을 남겨두어 궁을 지키게 함

❺ 압살롬을 돕는 아히도벨의 모략을 패하게 만들기 위해서

16장

❶ 주인 므비보셋을 모함하여 주인의 재산을 가로채기 위해서

❷ 시므이의 저주가 하나님에 의해 된 것으로 믿었기 때문에

❸ 압살롬이 자신을 믿게 해서 다윗에게 중요한 정보를 주기 위해서

❹ 아버지 다윗이 남겨둔 후궁들과 동침하므로 왕위를 차지했음을 과시하게 함

❺ 온 이스라엘 무리 앞에서 아버지의 후궁들과 동침함

17장

❶ 만 이천 명의 군사들과 함께 곤하고 힘 빠진 다윗 군대를 기습하여 다윗 왕만 죽여 온 백성을 압살롬에게 돌아오게 하는 전략
❷ 온 이스라엘을 전국에서 모아서 압살롬이 직접 전장에 나가 다윗과 그의 군대를 무찌르는 것
❸ 여호와께서 압살롬에게 화를 내리려고 아히도벨의 좋은 계략을 물리치게 하심
❹ 밤에 모든 백성과 함께 일어나 요단을 무사히 건너 도망감
❺ 고향으로 돌아가 목매어 자살함

18장

❶ 요압, 아비새, 잇대
❷ 다윗은 나를 위하여 압살롬을 너그러이 대접하라고 부탁하였다.
❸ 압살롬이 노새를 타고 급히 도망가다 머리털이 상수리나무에 걸렸기 때문에
❹ 젊은 압살롬은 잘 있느냐?
❺ 울면서 아들의 이름을 계속 부르며 자신이 대신 죽었더라면 하면서 심히 아파했다.

19장

❶ 왕(다윗)이 그 아들(압살롬)을 위하여 슬퍼함이 백성들에게 들렸기 때문에
❷ 요압
❸ 다윗 자신이 이스라엘의 왕이 된 날 사람을 죽일 수 없다고 생각함
❹ 그의 발을 맵시 내지 아니하며 수염을 깎지 아니하며 옷을 빨지 아니함
❺ 나이가 늙어 왕께 누를 끼치지 않으려고/ 김함

20장

❶ 세바
❷ 온 이스라엘 무리의 눈앞에서 압살롬과 동침하였기 때문
❸ 요압의 동생 아비새
❹ 비그리의 아들 세바의 머리를 베어 요압에게 던져줌.
❺ 요압 - 이스라엘 온 군대의 지휘관
브나야 - 그렛 사람과 블렛 사람의 지휘관

아도람 - 감역관

여호사밧 - 사관

스와 - 서기관

사독, 아비아달 - 제사장

이라 - 다윗의 대신

21장

❶ 사울의 집안이 기브온 사람을 죽였기 때문에

❷ 사울의 자손 일곱 사람을 내어달라고 함

❸ 낮에는 공중의 새가 앉지 못하게 하고 밤에는 들짐승이 범하지 못하게 함

❹ 베냐민 땅 셀라에서 그의 아버지 기스의 묘

❺ 이스비브놉 - 아비새

삽 - 십브개

라흐미 - 엘하난

다지증의 거인족 - 요나단

22장

❶ 여호와께서 다윗을 모든 원수의 손과 사울의 손에서 구원하신 그날

❷ 반석, 요새, 건지시는 자, 반석, 방패, 구원의 뿔, 망대, 피난처, 구원자

❸ 여호와 하나님 / 등불

❹ 하나님

❺ 주께 감사하며 주의 이름을 찬양 하리이다.

23장

❶ 이새의 아들, 높이 세워진 자, 야곱의 하나님께로부터 기름 부음 받은 자, 이스라엘의 노래 잘하는 자

❷ 돋는 해의 아침 빛, 구름 없는 아침, 비 내린 후의 광선으로 땅에서 움이 돋는 새 풀

❸ 다그몬 사람 요셉밧세벳, 아호아 사람 도대의 아들 엘르아살, 하랄 사람 아게의 아들 삼마

❹ 여호와께 부어 드림/ 목숨을 걸고 갔던 세 용사의 피기 때문에

❺ 37명

24장

❶ 여호와께서 이스라엘을 향하여 진노하여 그들을 치시기 위해

❷ 이스라엘 팔십만 명, 유다 사람 오십만 명

❸ 칠 년 기근, 원수에게 쫓겨 석 달 동안 그들 앞에서 도망, 사흘 동안 전염병

❹ 전염병 / 사람의 손이 아닌 여호와의 손에 맡김

❺ 기도를 들으시고 이스라엘에게 내리는 재앙을 그치심

성경대탐험 교재는
성도들을 참 그리스도인으로
세워가는 말씀 훈련 교재입니다.

하나님의 감동으로 기록된 성경 말씀만이
사람을 교훈하고 책망하며, 바르게 하고
의로 행하게 하여 영원한 생명으로 인도하는
가장 위대한 책이기 때문입니다.

성경이 이끌어 가는 목회지침서

성경대탐험 구약 ❻권

시무엘상 · 사무엘하

초판 1쇄 인쇄 2025년 12월 5일

지은이 배국순
발행인 김용성
기획·편집 출판사역팀
디자인 새한기획
제 작 정준용
보 급 이대성

펴낸곳 요단출판사
등 록 1973.8.23. 제13-10호
주 소 07238) 서울특별시 영등포구 국회대로 76길 10
기 획 (02)2643-9155
보 급 (02)2643-7290 Fax(02)2643-1877
요단기독교서적 교회용품센터 (02)593-8715
대전침례회서관 (042)256-2109

값 13,000원

ISBN 978-89-350-2024-9 04230
978-89-350-0001-2 04230(세트)

● **세미나 문의 및 후원 :**
- 성경대탐험 바이블 연구원(010-4118-6610)
- 카카오톡 오픈 채팅 : BBB 성경대탐험 (pw: 0691)
- 교회진흥원 교회사역팀 (02-2643-7390)